La balsa de la Medusa

El andrógino sexuado

Estrella de Diego

EL ANDRÓGINO SEXUADO

Eternos ideales, nuevas estrategias de género

Visor

La balsa de la Medusa, 53

Colección dirigida por
Valeriano Bozal

Tomás Bretón, 55, 28045 Madrid
ISBN: 84-7774-553-6
Depósito legal: M. 14.598-1992
Composición: Visor Fotocomposición
Impreso en España - *Printed in Spain*
Gráficas Rogar, S. A.
Fuenlabrada (Madrid)

Indice

Agradecimientos

La idea de este libro surgió en Madrid durante el seminario del Tercer Ciclo sobre iconos publicitarios impartido por el Prof. Jaime Brihuega y por mí, aunque su realización no hubiera podido llevarse a cabo sin la ayuda esencial de tantas personas y, sobre todo, sin su entusiasmo por un tema que hace años resultaba en España un tanto periférico.

La mayor parte de la investigación se desarrolló en Nueva York, financiada por una beca Fulbright-MEC durante los años 1987-88 y 1988-89, y es en parte ésta la explicación de que se base sobre todo en ejemplos americanos, si bien la naturaleza misma del tema y su conexión con los medios de masas hace de la sociedad estadounidense un referente imprescindible. Las bibliotecas, videotecas, centros, etc. donde se realizó el trabajo han sido tantos que resulta difícil un agradecimiento pormenorizado. Sólo mencionar la exquisita atención personalizada de la biblioteca del New Museum of Contemporary Art de Nueva York y las facilidades anónimas de la Biblioteca Pública de la misma ciudad que me enseñó un nuevo concepto de biblioteca democrática. Mi recuerdo y agradecimiento más especial, sin embargo, al Institute of Fine Arts y, sobre todo, al Prof. Jonathan Brown que tan generosamente me acogieron durante mi estancia neoyorquina.

Gracias también a los que aquí y allí me recordaron cada vez que vieron una imagen andrógina —Tolo, Carmitha y Mamie, Chris, Susan, Jesusa, John, David, Alisa, Salvador, Aurora, Mamen y, cómo no, Magenta y Fede, con su *basement* de los tesoros en Forsyth.

Las gracias también a las personas que desde el principio me apoyaron en el proyecto —y en cada uno de mis proyectos— en especial a Jaime Brihuega, Miguel Angel Castillo, Juan Carrete, Fernando Checa, Ignacio Gómez de Liaño y Juan Antonio Ramírez. A Antonio Bonet una vez más las gracias por esos primeros consejos en este trabajo y por los consejos de tantos años. A Valeriano Bozal le agradezco su constante estímulo intelectual, recordándome a cada paso cuándo estaría acabado el libro, y su lectura del manuscrito no sólo como editor diligente, sino como amigo crítico. Carmen Sarasua soportó allí y aquí mis crisis metodológicas y Guillermo Pérez Villalta, también allí y aquí, me ayudó a repensar el andrógino. Gracias a Angel González por nuestras conversaciones —incluso las que aún no han sido.

Sólo añadir, como suelen decir las revistas, que ninguno de los mencionados es responsable del contenido del libro. Espero no decepcionarlos demasiado.

Primera parte

La melancolía de la separación y la desesperación del reencuentro

1

Ser otro y divertirse

"El estado final de la metamorfosis es el *personaje*".
E. Canetti, *Masa y poder*

En la fiesta de máscaras hay muchas personas. Todas parecen haber elegido cuidadosamente su disfraz y esta noche, aunque sólo sea mientras dura la fiesta, serán aquello que siempre han querido ser. Con sus simuladas personalidades, variopintas pero perfectas, presentan una sospechosa apariencia de verosimilitud intachable. Sólo su heterogeneidad les confiere un aspecto irreal, fuera del tiempo.

Algunos disfraces son indiscutiblemente historicistas —siempre quedan románticos deseosos de ser Napoleón o Julio César— pero destaca entre todos un grupo curioso: se trata de esas mujeres con tacones altos y maquillajes exagerados, esos hombres con barbas y brazos inundados de tatuajes —sin duda calcomanías socorridas que mañana desaparecerán con agua. Son las Marylins y los marineros; no son hombres ni son mujeres, son la esencia de lo masculino y lo femenino, son lo narrativo del estereotipo. Son esos hombres que se han disfrazado de mujer y esas mujeres que se han disfrazado de hombre. Pero esa no es una mujer sino su imagen: *"Esto no es una mujer"*. Buscar ese disfraz no ha sido ni mucho menos una salida fácil, la forma de ahorrarse el consabido alquiler. Igual que Napoleón o César han querido trasgredir aquello que les creaba una cierta sensación de desasosiego. Han querido probar el poder que imaginaban en el *otro* y del que ellos supuestamente carecen.

Un tercer grupo de hombres y mujeres no ha tenido tiempo de alquilar su disfraz, ni siquiera tiempo para inventarlo. Sin embargo, se han vestido de forma especial para la noche —querían deshacerse de su aspecto habitual, el que llevan al trabajo todos los días. En pocas palabras, se han librado de su disfraz cotidiano y han decidido adoptar un aire seductor. Esa mujer cuidadosamente maquillada, con traje de lentejuelas grises que casi no le permite andar, subida en sus tacones plateados, tampoco es una mujer sino su proyección, lo que el estereotipo cultural en desuso define como mujer: *"Esto (ya) no es una mujer"*.

En el fondo, todos los presentes van irremediablemente disfrazados del *otro* pero vistos en grupo, justo en el instante en que la mayoría de los historicistas se han apartado, producen en el espectador una curiosa sensación: bien podría tratarse de una reunión en un local de moda. Es la magia subliminal de las apariencias contemporáneas, lo que se presenta con aspecto verosímil es aceptado como real: "USTED es la mayoría"[1]. Y, no obstante, la sensación es falsa. Absolutamente todos los presentes van disfrazados porque, esta noche, absolutamente todos han querido *ser otro y divertirse:* Charlot, Napoleón, Madame Pompadour, los hombres disfrazados de mujer y las mujeres disfrazadas de hombre; los hombres disfrazados de hombre y las mujeres disfrazadas de mujer. El espectador atento podrá comprobar que se trata de mucho más que un juego o una careta. Los simulados *punks* se han metamorfoseado en auténticos trasgresores porque a su careta le están permitidos todos los excesos que a ellos les están vetados.

De hecho, la metamorfosis ha sido desde siempre una de las obsesiones recurrentes del ser humano y a menudo representa, de forma patente y brutal, el deseo implícito de subvertir lo establecido. Asociado a ella se adivina el engaño, la apariencia; en otras palabras, el disfraz. Al final no es Zeus quien seduce a sus víctimas sino el *otro,* los *otros.* El triple engaño —a la esposa, a la seducida y al espectador— se lleva a cabo a través de la careta, a través de la apropiación de roles disparatados detrás de los cuales siempre se esconde la sonrisa burlona del dios. En el caso de Zeus hay sin duda una finalidad práctica —nadie hubiera sucumbido a un Zeus que se manifieste como tal— pero hay también parte de guiño y, por qué no, de inseguridad. La metamorfosis oculta los deseos y las ansiedades más primarias y, precisamente, aquellos que sólo a través de la careta se pueden materializar. La manifestación más popular de estos fenómenos es el carnaval, momento en que todo está permitido: nadie actua en función del *yo* sino del *otro,* ese *otro* que no tiene límites. Llevado a casos extremos, el psicópata no mata; mata la voz, el personaje, ese *otro* ajeno aunque ligado al *yo* y al que toda subversión está permitida. En *Psicosis,* de Hitchcock, Anthony Perkins se metamorfosea en la madre y es ella la que asesina, a través de ella se canalizan sus impotencias y sus miedos, sobre todo a la parte del yo que asusta aceptar. La idea implícita de confundir al espectador está siempre presente, como en el caso de Judy Licht y Jerri Della Femmina, quienes en la fiesta celebrada en el Lincoln Center de Nueva York en 1988 a beneficio de la Filarmónica de esta ciudad, llevaban máscaras fotográficas cubriéndoles los rostros —"él detrás de la de ella, ella detrás de la de él"[2]— jugando con una de las formas más populares de disfraz: la androginia.

Sin embargo, esto es sólo una mera justificación ante el *yo,* pues más allá del engaño está el exorcismo, la forma atávica de liberarse de los miedos. Entre las tribus primitivas es frecuente representar lo que se teme y se teme lo que no se conoce o no se comprende. La máscara es a menudo máscara

[1] Baudrillard, 1983, 53.
[2] "Phanthoms of the Philarmonic", 1988, 50.

Judy Licht y Jerry della Femmina saliendo de una fiesta en el Lincoln Center de Nueva York en 1988.

de aquello que se percibe como amenaza y lo divino —desconocido— está frecuentemente ligado al castigo. El poder proviene de fuentes desconocidas y se elige una víctima a la que se metamorfosea en símbolo del poder —el jefe— que acaba siendo el chivo expiatorio, el símbolo de los miedos colectivos. Así la muerte del jefe acaba por ser la muerte de los símbolos y los suku del Zaire —entre otras tribus— entierran secretamente el cadáver del rey en un paraje apartado y colocan un maniquí en su lugar durante el periodo de transición. Con la muerte de los símbolos el país ha muerto hasta que se restablece el nuevo representante del poder[3].

Las metamorfosis son un proceso frecuente en relación a los mitos y los ritos de todo tipo, incluidos los que se refieren específicamente a la creación del mundo. Los variopintos simbolismos que Madame Blavatsky recogía a finales del siglo pasado, no son sino resultados a primera vista intranquilizadores de uniones más o menos metamórficas: nada es lo que aparenta sino un símbolo sometido a convenciones. La mitología griega, los ritos chamánicos, la mayoría de las religiones orientales —Tahosimo, Hinduismo Budismo—, los ritos de los indios americanos o de las tribus australianas y africanas están impregnados de metamorfosis y éstas se manifiestan imperturbables en los medios de comunicación contemporáneos.

No siempre se trata de metamorfosis propiamente dichas, a veces son simples caretas, algo de lo que es posible deshacerse si llega a resultar molesto, como en el caso de la pareja del Lincoln Center. Canetti distingue entre *metamorfosis* e *imitación:* la metamorfosis es percibir como propias las características del otro; la imitación no pasa de ser la mera apariencia, una

[3] Balandier, 1988, 43 ss.

posición cómoda de usar y tirar[4]. Lo malo es que todo disfraz suele jugar malas pasadas y es posible acabar por encontrarse en la delicada posición de algunos de los más populares travestidos de la historia del cine —es el proceso residual del rol comentado por los sociólogos. En la película de Wilder *Con faldas y a lo loco,* el músico que se disfraza de mujer para sobrevivir —curiosamente porque vestido de hombre no encuentra trabajo, como Tootsie— sufre una transgresión sexual en el ascensor y entonces él, que seguramente tantas veces había sido el transgresor, es consciente de la posición femenina, igual que Dustin Hoffman. Su doble naturaleza —hombre/mujer— le confiere la posición privilegiada de espectador: sufre transgresiones pero sabe que son pasajeras y puede observarlas con más distancia ya que, desaparecido el disfraz, desaparece la causa de la transgresión, aunque luego nada vuelva a ser como antes —de hecho Wilder anuncia la boda de uno de los travestidos con el millonario que le había cortejado. La metamorfosis puede implicar, por lo tanto, el transgredir y el ser transgredido.

La metamorfosis en un ser del sexo contrario —o su imitación— es una de las más extendidas en la historia de la humanidad, algo que no es sino el resumen de lo que se percibe como la más básica pareja de opuestos. Plutarco comenta en el *Licurgo* cómo la noche de bodas las novias de Esparta se afeitaban la cabeza y vestidas con ropas de hombre yacían solas en la cama esperando al marido —tal vez no sólo imitándole sino metamorfoseándose en él, tratando de aventurar sus sentimientos para llegar a comprenderlos. Del mismo modo, *La virtud de las mujeres* comenta cómo la mujer de Argos se ponía barba o el marido de Cos vestía ropa femenina para recibir a la esposa en esa misma ocasión[5].

La pregunta que surge de inmediato ante este fenómeno es cuál podría ser el motivo último que llevaba a esa forma concreta de imitación en una situación tan específica. Se podría argumentar, siguiendo la tesis de Eliade que los esposos tratan de restaurar, aunque sea por un instante, la plenitud inicial[6] o, dicho de otro modo, tratan de recuperar ese estado primordial —la androginia— que antecede a la separación, a la pérdida de la totalidad. Esta hipótesis puede ser válida al resumir las ansias humanas concentradas en una pérdida que implica en la mayoría de las tradiciones otras pérdidas irreparables. Un acercamiento menos místico enraizaría estas conductas con la subversión de las leyes y las costumbres al convertirse el comportamiento de los sexos en lo opuesto de lo que normalmente es[7] y que podría relacionarse con el comentado temor al *otro.* De este modo cuando lo femenino y lo masculino se enfrentan en un momento en que la soledad y el aislamiento de los respectivos grupos les obligan a enfrentarse, se visten del contrario para aminorar su impacto, para aminorar el impacto del *otro* en el *yo,* tratando de sentirse integrados en una comunidad desconocida, a partir

[4] Canetti, 1983, 334 ss.

[5] Eliade, 1984, 142 ss. Delcourt retoma una discusión parecida en "Travestism in Public and Private Rites", 1961.

[6] Eliade, 1984, 143.

[7] Eliade, 1984, 144. Esta tesis es sin duda complementaria de la de Delcourt 1961 cuando comenta que los hombres de Licea se vestían de mujer en los entierros porque, según Plutarco, esa ropa vergonzante les impedía llorar.

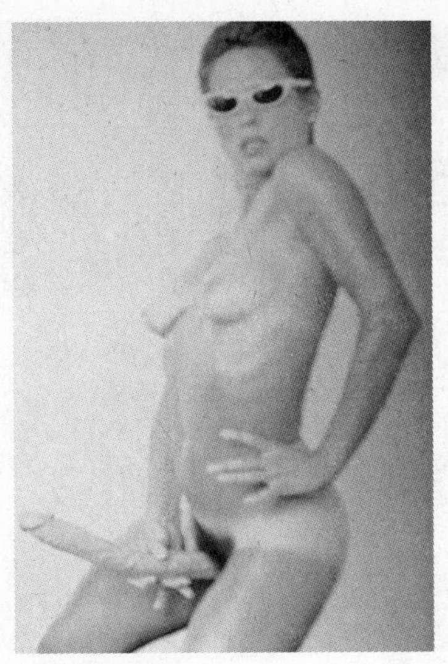

Linda Benglis, anuncio aparecido
en *Artforum* (noviembre de 1974).

de la unión masculina/femenina que frecuentemente se ve como imposible en el mundo clásico.

Este tipo de travestismo se basa sobre todo en la repetición o creación de estereotipos, pues sólo hay algo más femenino que una mujer y más masculino que un hombre, su esencia, sus rasgos sobresalientes, y a menudo el individuo dentro de un determinado grupo no tiene la capacidad de extraer lo esencial de ese grupo por pertenecer a él. Las mujeres de Argos sintetizaban al hombre en la barba —típico atributo masculino— y en el caso de parodia femenina, por poner uno de los ejemplos más vulgares y extendidos, se enfatizan los pechos atrapados en la ropa ajustada, las joyas exageradas y el maquillaje, todas supuestas prerrogativas de la mujer.

Ya desde ahora es posible apuntar una diferencia básica entre la síntesis de lo femenino y la síntesis de lo masculino. Lo segundo parece definirse a través de la substracción, simplemente patentizando un elemento clave que no suele estar ligado a lo estrictamente sexual —la barba, un puro, un sombrero...— a pesar de tener implicaciones sexuales en una segunda mirada —el pene no está pero lo fálico lo sustituye—; lo femenino se recrea a través de la adición de elementos y casi siempre con énfasis en lo sexual secundario —los senos— tal vez por el temor que lo femenino primario —la vagina— ha despertado siempre en lo social. Cuando lo masculino se define a través de elementos abiertamente sexuales se trata de una transgresión no consensuada, un elemento de *shock* como el que Linda Benglis trata de aportar en la popular fotografía aparecida en *ArtNews* coincidiendo con la aparición del neofeminismo de los 70. Los elementos masculinos asociados al poder tienen además implicaciones insconscientes muy fuertes que no se limitan sólo a elementos de referencia sexual, sino que se imbrican en lenguajes puramente gestuales. Una mujer consensuadamente femenina

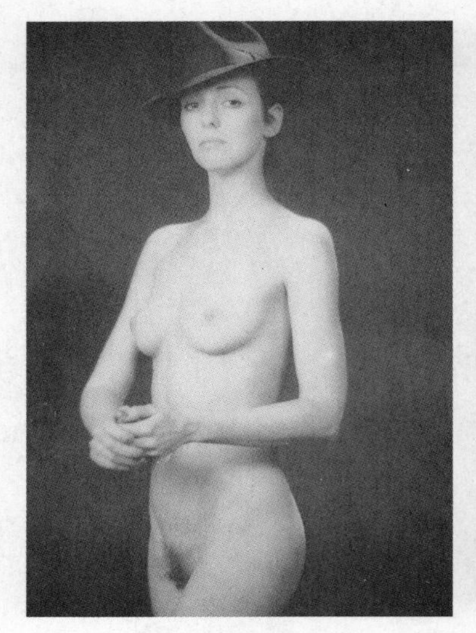

Robert Mapplethorpe, *Retrato de Susan Steffens.*
Publicidad de Donna Karan aparecida en *Details* (Nueva York) en agosto de 1988.

—incluso mostrando esos atributos sexuales secundarios que se retoman para rubricar la femenidad— ofrece un aspecto andrógino sencillamente por aparecer con un elemento asociado a lo masculino, como en el caso del retrato que Mapplethorpe realiza de Steffens o un ejemplo publicitario de Donna Karan, en el cual un ejemplar del *Wall Street Journal,* igual que el puro o el sombrero, se convierte en sublimación fálica. Así, la mujer de Benglis no parece masculina porque se ha puesto un pene; lo verdaderamente masculino de ella son el gesto desafiante y las gafas que esconden la mirada. Es curioso notar cómo la mayoría de las mujeres que quieren estereotiparse en hombre escogen el disfraz de Charlot —en sí mismo un disfraz, el estereotipo del hombre desdichado que se replantea el concepto de lo masculino y uno de los travestis más bellos de la historia del cine— en cierto sentido poniendo de manifiesto una clara ambivalencia hacia lo masculino como poder y hacia el poder en general[8].

Una de las versiones más sofisticadas del disfraz aparece en el *onnagata* del kabuki japonés donde, como comenta Buruma en su libro de título revelador *—detrás de la máscara—*, el espectador prefiere ver a Lady Macbeth interpretada por una estrella masculina precisamente porque "es más artificial y por lo tanto más bello"[9]. Es curioso, sin embargo que sea

[8] En la película *A Woman* (1915) Charles Chaplin dejó de ser Charlot para convertirse en una bella mujer a la que sus facciones delicadas, su boca expresiva y sus enormes ojos sin duda revistieron de credibilidad. Se trata de uno de sus mejores disfraces, si bien no es el que más fama transformista le ha dado. Lo curioso es la delicadeza con que trata esta metamorfosis en mujer, tan poco frecuente en otros disfraces cinematográficos que presentan a las mujeres de forma excesivamente exagerada.

[9] Buruma, 1984, 117.

Eikoh Hosoe, de la serie *Shifukei (Simon: un paisaje privado),* 1970.

precisamente Lady Macbeth el ejemplo, ya que este personaje —junto con Volumnia— representa uno de los escasos ideales de mujeres "masculinizadas" en Shakespeare que al final tienen que pagar por su perversión, aunque nunca pierdan realmente la simpatía del espectador[10].

Un fenómeno paralelo al citado —mujeres que hacen papeles de hombre— se verifica en el *Paraiso,* teatro creado por Kobayashi Ichizo en 1914. Unas jovencitas cuidadosamente instruidas interpretan los papeles femeninos y masculinos, aunque las encargadas de estos últimos son las "estrellas" aclamadas por el público. La forma en que se ensayan los papeles se basa en los *kata* —patrones formales— tratando de extraer las posturas, las características esenciales masculinas para lo cual toman como modelo al Marlon Brando de las películas de los cincuenta. Este hecho resulta bastante sorprendente en un primer momento, aunque una segunda mirada muestra que no es en absoluto aleatorio teniendo en cuenta que él mismo, como representante de la figura del *supermacho,* está estereotipando al hombre, lo que el hombre *debe ser,* culturalmente hablando.

Buruma comenta los motivos por los cuales no se admiten actores masculinos en la compañía y ofrece la respuesta que le da uno de los productores del espectáculo, pues, como suele suceder, los cargos directivos competen al sexo masculino. En primer lugar hay un factor sociológico clave en la cultura japonesa: a esas jóvenes, por la misma educación recibida, les resultaría imposible gritar a un hombre caso de requerirlo el guión. La segunda explicación es incluso más atractiva. Buruma dice que es improbable —o lo era al inicio del espectáculo— encontrar hombres lo suficientemente bellos para estar acorde con los gustos de un público que busca, esencialmente, un

[10] Heilbrun, 1973, 31 ss. para discusión específica sobre el tema.

placer estético. Pero la cuestión va mucho más allá: desde la perspectiva japonesa no son bellos porque son reales. En otras palabras, "ningún hombre puede ser tan bello como una mujer interpretando a un hombre, igual que ninguna mujer puede ser tan impresionante como un buen travesti. Este fenómeno está enraizado con la base última de la estética japonesa e igual que la *geisha,* la obra de arte femenina, está basada en un principio de despersonalización"[11].

La estilización en el Japón es mucho más respetuosa que en el mundo occidental incluso al hablar de casos de transformismo en clubs nocturnos[12], pero lo más fascinante es que para esas jóvenes las diferencias entre hombres y mujeres son sólo cuestión de apariencia[13], como demuestra visualmente el maravilloso travesti fotografiado por Eikoh Housoe en 1970. ¿Hasta qué punto son importantes esas apariencias? ¿Hasta qué punto el *yo* puede convertirse en el *otro*?

Parece más sencillo desentrañar el misterio al hablar del mundo oriental, donde los mismos valores religiosos expresan a menudo ese sentimiento de duplicidad. No obstante, en el mundo occidental —y a pesar de la percepción de las polaridades como irreconciliables— también han aparecido fenómenos de travestismo como los cultivados por el teatro isabelino y la pasión por lo hermafrodita generalizada, y particularizada en Goethe, que se refleja en la popularidad de los *castrati* en determinados momentos históricos. Al mismo tiempo han ido surgiendo diversas metamorfosis que van desde las más inofensivas —modas masculinizadas o feminizadas— hasta las más radicales— intercambio de roles en ciertos momentos históricos.

En todos los casos de imitación o metamorfosis en el sexo opuesto, se detecta, igual que en las mujeres de Argos y los hombres de Esparta, un cierto deseo de exorcismo, un deseo de tratar de llenar el vacío en el *yo* a través del *otro,* de tratar de liberarse de la amenaza que el *otro* representa y vencer el miedo. El amor, la forma última de androginia, fundirse con el *otro,* como expresan los románticos alemanes —y como subliminalmente apunta una buena parte de la iconografía del tema—, no es sino la forma más dramática de la imposibilidad, de la búsqueda de la liberación.

En la sociedad actual, en apariencia desprovista de mitos —aunque al fin plagada— la androginización se convierte en otra forma de expresión de los miedos y de la plasmación del deseo en un momento que vive engañado por la falsa presencia del placer.

[11] Buruma, 1984, 115.

[12] El mismo Buruma (1984, 117) ofrece el ejemplo del travesti Miwa Akihiro quien trabaja en un club de Tokio y al que la gente venera. Cuando sale a escena a cantar canciones francesas de los años 30 todos dicen: "Esta noche está bellísima".

[13] Buruma, 1984, 118.

2

Androginias

> "Androgyne, mon amour,
> shadows of you name a price
> exorbitant for short lease".
>
> *Androgyne, Mon Amour,* Tennesee Williams, 1976.

El deseo no es, sin embargo, prerrogativa de la sociedad actual aunque se patentice de manera inequívoca en la misma. Este ha existido, siempre insatisfecho, más allá de cualquier intento de codificación, condenado a perpetuarse como la antítesis del placer e incluyendo todas las posibilidades sin excluir ninguna, anhelando lo innacesible para no extinguirse.

La androginia es una de las manifestaciones más antiguas del deseo. Etimológicamente, androginia se refiere a Uno que contiene Dos y, más concretamente, al hombre (andro) y la mujer (gyne), si bien el término no se limita a esa acepción tan estrecha. La idea de la androginia se extiende, en primer lugar, a todas las parejas de opuestos, esos conceptos polarizados que se atraen irremisiblemente y casi sin esperanza —Cielo/Tierra, Luz— Tinieblas, Vida/Muerte...

Uno de los primeros mitos occidentales en describir lo que se acepta más comunmente como androginia —componentes femeninos y masculinos que conforman la totalidad— es el descrito por Platón en el *Banquete* para justificar el amor y los estados de ansiedad que el mismo genera. En el fondo, el *Banquete* narra una historia de amor perfectamente moderna: el ser, separado de su mitad —¿no se ama el propio reflejo, aquello que se ha inventado?—, muere de amor y vuelve a renacer, malamente, como sucede en la vida real, en ese encuentro posterior y arrebatado con otro ser, triste como él. Al observar el desconsuelo humano los dioses tratan de sosegar tanta desazón y acaban por conceder al hombre un sustituto temporal y de calidad discutible para alguien que lo tuvo todo.

Platón se adelantó en muchos siglos a las más radicales teorías (hombres y mujeres viven en universos irreconciliables o, en todo caso, su reconciliación requiere un trabajo constante de entendimiento) y sirvió de inspiración a psicoanalistas e, incluso, a series televisivas de ciencia ficción como *Star Trek,* uno de cuyos protagonistas más populares es el conocido Doctor Spock. O'Flaherty se centra en la comparación de las distintas categorías de andróginos en las que cita, entre otros, a los indios americanos y los andróginos de Australia y Africa. Ofrece por fin el ejemplo de la comentada serie donde aparecen por lo menos tres tipos de andrógino: "uno cortado verticalmente, una mitad blanca y otra negra, para expresar polaridad no sexual sino racial y política; otro en que el cerebro de una mujer ha sido trasplantado al cuerpo de un hombre y viceversa; y, finalmente, la consciencia de un hombre y una mujer (Spock y la Enfermera) que son compartidas por el mismo cuerpo (el de la enfermera)"[1]. En cierto modo esta serie resume muchas de las interpretaciones de la androginia a lo largo de la historia: fusión, implicaciones de ideal social y replanteamiento de lo establecido o la simple vulgarización explotada por los medios —hombres con aspecto de mujer y mujeres con aspecto de hombre.

En el *Banquete,* Platón está narrando un drama fascinante y eterno, el drama moderno del deseo nunca satisfecho. Así, su obra simboliza la melancolía de la separación y la desesperación del reencuentro o, dicho de otro modo, se refiere a la circulación del deseo, nunca del placer.

Los tres seres —hombre, mujer y andrógino— acaban por morir de amor al ser cortados, literalmente, por la mitad y terminar por contentarse con un reflejo muy vago de su narcisismo después de haber pasado por abrazos irritantes y estériles. El andrógino es quien, tras el cambio, se hace mujeriego, adúltero y se prostituye. En una palabra, se hace sexual. Tal vez se entrega en exceso precisamente por haber tenido más que el resto, por haber vivido en el concepto más místico de la totalidad.

Hasta aquí nada diametralmente diferente al resto de las androginias que aparecen con variantes más o menos atractivas en numerosas tradiciones no occidentales[2]. Esa es, por ejemplo, la base del mito de la creación en la tradición japonesa que narra el dramático desencuentro de Izahami y su esposo Izanagi, debido a las impaciencias y los tormentos del amor y que funciona como metáfora de la separación del Cielo y la Tierra, con numerosas referencias al mito de Orfeo y Eurídice.

La modernidad y el atractivo de Platón se basa sobre todo en la adaptabilidad del ser humano al encontrarse solo y su capacidad para inventar nuevos y artificiosos conceptos de totalidad que poco o nada tienen que ver con la misma. *El banquete* habla del deseo no satisfecho que trata de llenar el vacío, de matar la melancolía de la separación, aunque el reencuentro desespere por su incapacidad de reproducir el estado inicial.

[1] O'Flaherty, 1980, 289 ss.

[2] Sobre estos temas O'Flaherty, 1980, con una extensa bibliografía sobre el problema, Singer, 1980, Kaplan, 1980 y el libro clásico de Campell, 1956.

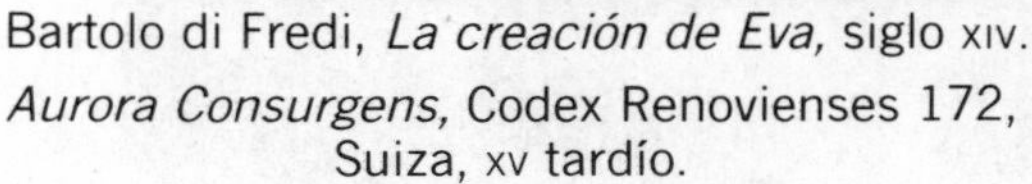

Bartolo di Fredi, *La creación de Eva,* siglo XIV.

Aurora Consurgens, Codex Renovienses 172, Suiza, XV tardío.

Una historia similar, aunque mucho menos fascinante en términos generales, es el concepto cristiano de la pérdida del Paraíso que León Hebreo relaciona con el mito platónico. Efectivamente, en el Antiguo Testamento también existen temas ligados a la androginia, si bien estos aparecen sólo a partir de las relecturas de aquéllos que tradicionalmente han practicado formas místicas o esotéricas (herméticos, cabalistas, alquimistas, gnósticos...). El mito de la creación más comunmente aceptado se expresa en estos términos en el primer capítulo del Génesis: "Dios creó al hombre a su imagen y semejanza". Es decir, Dios crea a Adán y de Adán crea a Eva, su compañera. Una traducción más precisa del texto desvelaría el plural: "creemos al hombre a nuestra imagen y semejanza", implicando de este modo la condición andrógina de Dios[3]. Las posibles interpretaciones llevaron a los Cabalistas a hablar de un Adán Kadmon —el ser primordial que posee todas las dualidades y del que nacen el Adán y la Eva del Paraíso— y a los gnósticos a plantear cómo del caos descrito en los cuatro estadios nace el Hijo del hombre, el Andrógino, un ser en el que están contenidos todos los opuestos[4].

El concepto del andrógino como padre de los hombres, al igual que la androgina de Cristo, dio lugar a una profusa iconografía que se fue desarrollando en Occidente de forma más o menos sistemática y sobre todo a partir del siglo XIX y que alcanzó su máximo auge en las populares representaciones

[3] Además en el hebreo original aparece *Elohim* como nombre de Dios, combinación del femenino singular *Eloh* y el masculino plural *im,* Kaplan, 1980, 60. El apócrifo Hermes Trimegisto también habla del concepto de la perfección divina Todo-Uno: "Dios no tiene nombre o, mejor dicho que los tiene todos, puesto que es conjuntamente uno y todo. Infinitamente lleno de fecundidad en los dos sexos, alumbra todo lo que se propone procrear", Eliade, 1984, 136. Existen numerosas representaciones andróginas de Cristo. Para Zinzendorf la herida del costado simbolizaría la vagina, Busst, 1967, 7.

[4] No obstante, el género humano no deriva de él, sino del monstruo que un Dios celoso crea al mismo tiempo. Kaplan, 1980, 60-61.

René Magritte, *El Océano*, 1943.

ligadas a prácticas alquimistas y plasmadas en numerosas estampas como la publicada en *Philosophia reformata* de J. D. Mylius (Frankfurt, 1622). Una de las manifestaciones iconográficas más recurrentes suele presentar a Adán y Eva unidos por la espada —tal es el caso de *La creación de Eva* que Fredi realiza en el siglo XIV. En otras ocasiones el Primer Hombre aparece como una mujer del lado derecho y un hombre del lado izquierdo[5] en el intento de representar la unión de los opuestos. Este modelo se populariza mucho entre algunos artistas del siglo XX —con una lectura bastante estricta en las diferentes versiones del *Homenaje a Apollinaire* de Chagall. Magritte realiza lecturas más libres en *El océano* —en el que una mujer se ha convertido en el pene del hombre— o la perturbadora obra *Días Gigantes* —en la que un cuerpo femenino trata de librarse de su capa masculina, haciendo pensar si ésa que aparece será la definitiva o el juego se podrá prolongar al infinito, atrapado el personaje en capas sucesivas, igual que el *Orlando* atrapado en una ropa que, finalmente, va conformando su género.

El mundo contemporáneo también ha retomado el tema no sólo para representar el travestismo mostrando la mitad de un hombre y la mitad de una mujer como hace Lisette Model en su conocida fotografía, sino jugando a (des)velar la fusión en fotos que literal y técnicamente funden una imagen masculina con otra femenina o, incluso dos imágenes femeninas, estrategia típica en la publicidad. La primera forma de representación es frecuente también en los espectáculos de travestismo. La retoma por ejemplo una de las primeras escenas de la película *Salon Kitty* y forma parte del *show* del grupo español femenino Veneno, que explota la representación clásica: en

[5] Berenshit Rabbä, 1,4, fol. 6, col. 2, citado por Eliade, 1984, 132.

Lisette Model, *Hermafrodita,* 1940.

Steven Arnold, *There is no separation.*

uno de los números de su espectáculo una mujer vestida de gitana sale a escena cantando a un hombre inexistente. Cambia de lado del escenario y al darse la vuelta esa misma mujer es un hombre que contesta a la gitana.

Algunas de estas iconografías se podrían relacionar, técnicamente hablando, con fenómenos de hermafroditismo —término con el que frecuentemente se intercambia el de androginia, a pesar de expresar aquél presencia física de elementos masculinos y femeninos en el mismo individuo— al igual que ciertas imágenes derivadas de la androginia de Cristo y que tanta influencia tuvieron en los saint-simonianos.

La idea de la androginia de Cristo —tradicionalmente la capacidad masculina para la maternidad— ha dado origen a un tipo de imágenes ciertamente inquietantes, dos de cuyos ejemplos más reproducidos son *La Papisa Juana dando a luz,* del siglo xv, y *Arlequín amamantando a su hijo,* del xviii. Los artistas contemporáneos han explotado el tema de forma mucho más directa y con implicaciones políticas obvias. Una de las obras más conocidas es *Dios dando a luz,* de Monica Sjoo, quien representa a Dios como una mujer —este trabajo causó una enorme controversia cuando se mostró en Londres en 1973 y desde ciertos sectores se quiso incluso denunciar a la autora por blasfemia, como apuntan Parker y Pollock en *Framing Feminism*[6]. Otra obra en la misma línea es la fotografía de Ramón Vila que alcanza el máximo de la ambigüedad al presentar un cuerpo masculino que parece haber dado a luz, como las madres que apoyan al hijo recién nacido sobre su cuerpo.

Sjoo y Vila enfatizan una visión que cuestiona lo atribuido al hombre y la mujer, cultural y sexualmente hablando. La artista se replantea, desde una posición feminista, el concepto de Dios como hombre —otra construcción

[6] Parker y Pollock, 1987, 5 ss.

Publicidad de Maxfield (Los Angeles)
aparecida en *Details* (Nueva York)
en marzo de 1989.

cultural—, mientras la obra de Vila reconduce a la androginización en los hábitos masculinos— la paternidad como valor recuperado también en el plano físico.

La maternidad como valor femenino es usada de forma diferente en los dos casos. Dios, el Ser Perfecto, se convierte en mujer —ser madre pertenece a lo específicamente femenino pero aquí lo importante no es ser madre sino ser Dios: una mujer puede ser Dios. Se replantea así la idea de Dios como masculino y la idea de lo femenino —maternidad— que también puede ser Dios, lo femenino puede ser superior. El planteamiento de Vila es el contrario: además de hombre se puede ser madre. Los dos, al fin, transgreden los territorios asignados a sus respectivos géneros.

El contraste de ese pecho masculino donde se apoya el niño recién nacido, las capacidades múltiples, el macho preñado de los carnavales y los ritos chamánicos resumen la idea de la totalidad que más se ajusta a la de la androginia. Son seres en los que se matiza el concepto de maternidad que no implica sexualidad sino que está ligado a un principio de plenitud y autonomía. Los seres superiores y los ancestros de la humanidad, sobre todo entre los pueblos arcaicos, son a la vez femeninos y masculinos, Cielo y Tierra. La androginia es la expresión de la Totalidad en una fórmula arcaica y universal, la coexistencia de los contrarios o *coincidencia oppositorum;* en términos jungianos, un arquetipo del inconsciente colectivo que se enraiza con el Absoluto y que aparece en el ser humano como sentido innato de la Unidad Cósmica —lo que era antes de la separación, en la que todo está y nada falta. En su forma más pura, la androginia no simboliza un estado de totalidad sexual, sino la perfección de un estado primordial, ese estado en el que priman la *autonomía, la fuerza y el sentido de totalidad* que comenta

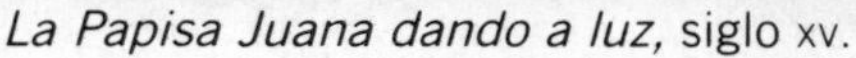
La Papisa Juana dando a luz, siglo XV.

Arlequín amamantando a su hijo, Holanda, siglo XVIII.

Eliade[7]. La tradición no se refiere a un hombre que da a luz posibilitado por su constitución física sino a un ser que autoengendra a un hijo al que da a luz —de ahí que los ejemplos parezcan más ligados a la androginia y sean sólo en apariencia hermafroditas. Se trata de una autonomía infinita, contrariamente a lo que sucede con el hermafroditismo, aunque los límites entre ambos conceptos estén muy difuminados.

Todas estas ideas relativas a la androginia y enraizadas con la pérdida de la Totalidad, que activaron de forma especial las lecturas platónicas de León Hebreo o las relecturas cristianas, tuvieron una enorme influencia en los téoricos posteriores llegando a impregnar de forma específica el siglo XIX. Lo más sugerente de esas lecturas posteriores se encuentra en las implicaciones que parecen derivarse de la Pérdida —la separación— y de los esfuerzos posteriores para recuperar lo perdido aún tratándose de una empresa completamente inútil.

Las soluciones que se ofrecen en los ejemplos literarios y visuales para retornar a la Totalidad inicial varían mucho de una época a otra, reflejando el estado de ánimo predominante en el momento, si bien el problema de fondo es siempre el mismo —la fusión, la reunificación a cualquier coste (aunque sería más preciso hablar de una reunificación que de partida se sabe imposible y acaba por ser mero deseo de fusión). Aun a riesgo de ser extremadamente reduccionistas, y en un intento de acotar el vastísimo territorio de las distintas soluciones literario-filosóficas, se podrían reducir a dos los caminos fundamentales que tienden a recuperar la totalidad primigenea: la totalidad a través del amor —la unión con el ser ideal— y la recuperación a través de la igualdad sexual o social[8].

[7] Eliade, 1984.

[8] Todas las variantes se pueden reducir más o menos a estas dos categorías esenciales, aunque el caso de la literatura isabelina, especialmente Shakespeare, es algo diferente. Para una

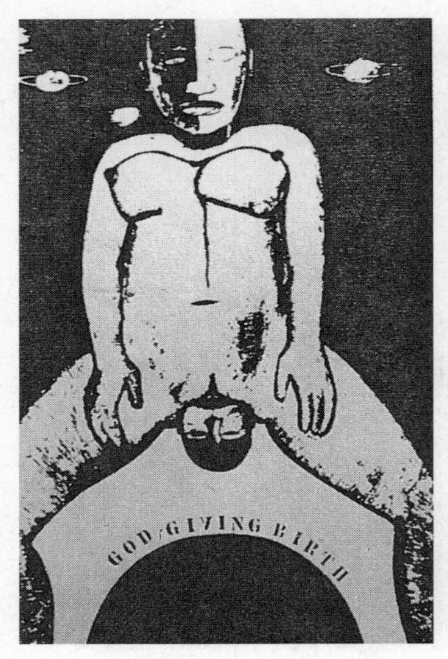

Monica Sjoo,
Dios dando a luz, 1973.

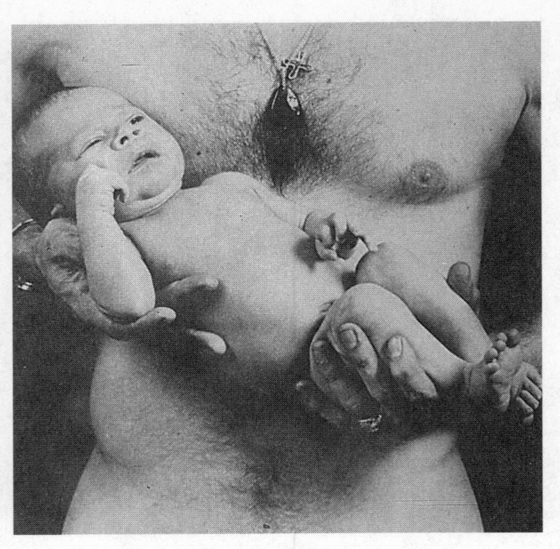

Ramón Vila,
Diego Ramón, 1981.

El primer camino, el amor como vehículo para alcanzar la perdida androginia, es uno de los temas recurrentes de la literatura medieval. La literatura de los hombres convierte a las mujeres en andróginas —utilizando el término en su acepción de asexualidad—, ángeles a través de los cuales y en virtud de cuyo amor —casi siempre desdichado— se redimen los pecados recuperando el estadio de plenitud primitiva. Una historia clásica, entre muchas, es la de Abelardo y Eloisa, "metáfora de la condición andrógina, de la necesidad de fusión de lo femenino y lo masculino con igual pasión"[9].

Se trata de un concepto pararreligioso que también incluye al místico Jackob Böhme, quien, como apunta Friedrichsmeyer, incorpora el andrógino al proceso cristiano de la salvación[10]. Para él, muy relacionado con los herméticos, el concepto de androginia se une a la pérdida del Paraíso. Así Adán, y con él toda la especie humana, reencuentran la androginia entendida como Totalidad en la unión amorosa con el sexo contrario; en otras palabras, en la reunión con la mujer el hombre espera alcanzar la perfección e inmortalidad perdidas en el camino hacia las disgregaciones que implica la Caída[11] —pero valdría la pena enfatizar que se trata de una mujer inventada a la imagen y semejanza del hombre.

La influencia de Böhme en el Romanticismo alemán fue decisiva sobre todo a la hora de rehabilitar el ideal andrógino asociado generalmente al amor conyugal como representación en la tierra de la unión mística con Cristo. Sin duda tuvo también mucha influencia el pensamiento de Swedenborg,

discusión sobre el tema, vide Heilbrun, 1973, 22. Veeder, 1986 recoge una discusión imprescindible sobre la androginia como igualdad y como desigualdad aplicada a la obra de Mary Shelley.

[9] Heilbrun, 1973, 25.

[10] Friedrichsmeyer, 1983, 30.

[11] Friedrichsmeyer, 1983, 35.

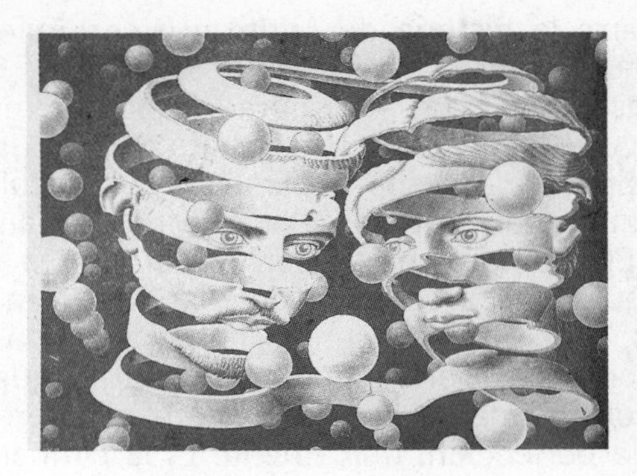

M. C. Escher, *La Unión,* 1956.

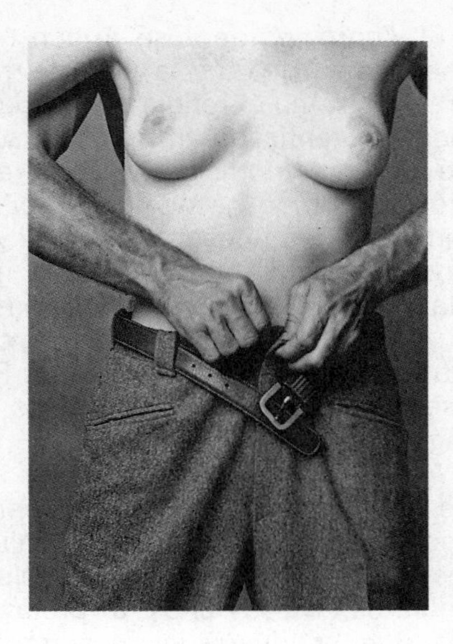

Publicidad de Basile aparecida en *Uomo Harper's Bazaar* (Milán) en diciembre de 1981.

muy leido en Alemania durante los años 70 del siglo XVIII, quien presenta numerosos puntos de contacto con Böhme. Swedenborg creía en el matrimonio a una edad temprana como representación humana de la unión mística con el Cristo andrógino, si bien observaba la unión conyugal con mejores ojos que muchos Pietistas. En su *Amor Conyugal*[12] explica cómo los seres humanos nacen con un instinto que los lleva hacia la unión con el sexo contrario y cómo el amor conyugal, en contraste con el sexual, es tan poderoso que pervive después de la muerte.

En el caso concreto de Novalis, el amor al arquetipo de la perfección —encarnado por Sophie— se ajusta perfectamente a la idea romántica de la comunión entre el hombre y la mujer como la posibilidad de la unión entre el hombre y lo irracional. Vista Sophie como representante de lo irracional —la naturaleza orgánica—, ofrece el modelo primario para las figuras femeninas de la producción de Novalis[13].

Esa idea del amor puro como medio de recuperar el estado andrógino es, por otro lado, un concepto recurrente a lo largo del siglo XIX y no sólo en Alemania. Antich y Przbyszewski son autores de sendas novelas cuyo tema central es el amor místico como redención. En las dos aparece la falta de deseo físico o su negación y en las dos se observa el miedo obsesivo a que la parte contraria se desvanezca —en el fondo se trata del miedo ante el infinito o a la disolución en el otro, aunque sea lo que se busca. Los dos hablan de ese amor/odio hacia la mujer, tan popular y tan tristemente extendido en el fin de siglo, y reflejan, en última instancia, el temor hacia lo femenino inespecífico y, por extensión, hacia *su* parte femenina.

[12] Swedenborg, 1928. Para una discusión sobre el tema asociado al Romanticismo alemán, Friedrichsmeyer, 1983, 32 ss.

[13] Friedrichsmeyer, 1983, 68.

El *Andrógino* de José Antich narra la historia de Andro y Ginea quienes "viven en su unión y la idea del mundo desaparece de su memoria"[14]. Esta obra no es sino el reflejo de los consabidos polos —hombre intelectual, mujer física— patentizado en un discurso que Ginea hace a propósito de una unión que ella ve como física y que es reproducida desde la perspectiva masculina: "¿Por qué no se ha de fundir mi alma con la tuya? ¿Por qué no se han de fundir también nuestros cuerpos? ¿Eternamente ha de persistir el Tú y el Yo?" (pág. 148). El reproche ante la mujer física se pone de manifiesto en las palabras del hombre: "Te engañas, Ginea: nuestra unión no es absoluta. Mi alma concibe otra más pura y completa: pero tú me demuestras que ni siguiera alcanzas a vislumbrarla. Por encima de nosotros está el ser libre de deseo. Ni tú ni yo representamos la perfección: únicamente El la simboliza" (pág. 148).

Al querer unirse con la mujer acaba por desaparecer igual que la amada que se evapora en *El andrógino* de Stanislao Przbyszewsky[15], donde el concepto de los dos polos que se unen formando un todo se entremezcla con ideales como el de la mujer-adolescente, la mujer-sexual y la frigidez[16], tan populares en esos años. El protagonista acaba descubriendo que ella no es más que la Idea y los dos terminan por convertirse en el andrógino: la fusión[17].

Esa es sólo una de las interpretaciones del ideal, pues ni siquiera todos los románticos alemanes adoptan una postura unitaria ante el problema. Schlegel se expresa en términos distintos a Novalis criticando lo excesivamente masculino o femenino que para él tiene su raíz en lo educativo y los hábitos. La especie humana debe tender a la integración de los sexos —entendida así la androginia como igualdad social— si bien una lectura más atenta desvela una cierta tendencia a glorificar lo femenino dentro de la tónica general del Romanticismo[18].

Pero incluso a pesar de la idealización de la mujer, en Schlegel se advierte un cierto germen de ese acercamiento a la androginia que populariza la primera mitad del XIX en Francia y que se relaciona con la igualdad social y política. Dicha postura, iniciada por Fabre d'Olivet, obsesionado por el *homme collectif* y el progreso de la humanidad[19], es compartida por numerosos pensadores y filósofos contemporáneos al autor y tiene unas implicaciones muy sugerentes desde el punto de vista femenino pues, como apunta Busst, "la imagen ideal del andrógino, símbolo de la rehabilitación del hombre, es también símbolo de la igualdad social y de la emancipación de la mujer"[20].

Uno de los pensadores más directamente implicados en este problema es Ballanche[21] —quien tuvo una cierta influencia en Paul Chenavard—, que

[14] Antich, 1904, 133.

[15] Przbyszewsky, 1926, 80.

[16] Aunque a veces parezca un tipo de frigidez intelectual, está unida a los ideales de Peladan. El protagonista comenta "Nunca pude fundirme con ninguna mujer".

[17] Przbyszewsky, 1926, 133. "Ella y él deberán volver al sexo primordial para convertirse en un ser único grado".

[18] Friedrichsmeyer, 1983, 171.

[19] Fabre d'Olivet, 1822.

[20] Busst, 1967, 22.

[21] Ballanche, 1830.

refleja el espíritu optimista de la androginia, un ideal de hombre/mujer que forma un todo equilibrado y positivo y que se recoge en tradiciones posteriores que poco o nada tienen que ver con la imagen ambigua tan propiciada por el Decandentismo —entre otros, el grupo de Bloomsbery y ciertas iconografías de la Rusia revolucionaria, como el conocido cartel de El Lizzisky. La posición de Ballanche —síntesis de muchos acercamientos del momento— influiría también en los Saint-Simonianos, quienes propugnaban una libertad social que propiciaba la revolución feminista[22] y contribuía a la introducción del andrógino como símbolo de bienestar social. Los planteamientos de estos últimos no sólo estaban íntimamente unidos a la emancipación de la mujer, sino que potenciaban un apoyo universal a la industrialización que conllevaría la prosperidad social de la humanidad, esa "rehabilitación de la materia" propugnada por Saint-Simon —de ahí las implicaciones con la mujer siempre considerada como perteneciente al mundo de los instintos materiales y la carne[23]. La importancia de estas nuevas actitudes ligadas al saint-simonismo se reflejaría en la vida y la obra de ciertas mujeres, siendo un ejemplo revelador el de Rosa Bonheur —hija de un saint-simoniano— que simboliza ya en los años 40 del siglo pasado, no sólo un tipo de artista que pinta temas tradicionalmente masculinos —ferias de caballos, animales...— sino que lleva una existencia inusual compartida con otra mujer, vestida con ropas de hombre y mostrando también en lo formal un aspecto indiscutiblemente andrógino[24].

Pero las esperanzas que los saint-simonianos habían puesto en la Revolución industrial, al igual que las de muchos otros, se desvanecerían pronto, dando paso a una visión pesimista del mundo que potenciaría un giro de trescientos sesenta grados en la concepción del andrógino. La imagen de principios del XIX es esencialmente optimista porque simboliza la "solidaridad, la fraternidad, la comunión, el progreso, la confianza en Dios, el futuro y la bondad del hombre", mientras la imagen de la segunda mitad —que tiene un punto álgido en los años 90— es negativa porque simboliza "el vicio, el aislamiento, la soledad, la autosuficiencia, la independencia y la falta de confianza en el futuro, en Dios y en el hombre"[25].

Esta especie de melancolía fin de siglo trata de extrañarse de la realidad y buscar un ideal innacesible con base clasicista, el ideal que trate de plasmar físicamente aquello que no existe en la realidad: el hermafrodito. Ya no se trata de ideales sociales o de uniones amorosas en búsqueda del todo sino de criaturas sexuales que expresan a través de su naturaleza doble y cambiante las imposibilidades y las inconsistencias humanas ante el deseo. Son los jovencitos ambiguos de fin de siglo y las indefinidas Lesbia Brandon o Leonora d'Este que pasan de ángeles etéreos a la mujer fatal que hacia los

[22] Además de la discusión en Busst, 1967, 19 ss., sobre Saint-Simon se recuerdan entre otros Bougle, 1918, 371-99 y Adler, 1903. También interesantes los escritos de Flora Tristán y Sainte-Beuve, 1882, con una interesante polémica sobre cómo la liberación de la mujer afectaría a los órdenes establecidos.

[23] Sobre este particular vide Busst: 1967, 24 ss.

[24] Sobre Rosa Bonheur, Parker y Pollock, 1981, pág. 35-37, y Harris y Nochlin, 1978, 223-25. Para una discusión extensa sobre sus relaciones homosexuales, Greer, 1981, 57-60.

[25] Busst, 1967, 39.

años 90 del siglo XIX refleja el doble miedo masculino. Son las mujeres vampiros y las mujeres esfinges que se tragan al hombre en sus expresiones de amor estéril y los Dorian Gray que ven cómo la edad deteriora sus rostros. Son, esencialmente, la expresión del miedo a la mujer, esa gran desconocida hasta bien entrado el siglo XX, y el miedo a la pérdida de la juventud, corporalizado en las arrugas. Son los temores a lo femenino puestos en escena por Dorian Gray, el eterno adolescente que se enamora de un ideal de mujer al que desprecia cuando se hace real y al que, al fin, arrastra al suicidio.

Desde numerosos puntos de vista el ideal andrógino enfatiza el miedo al placer y la ilusión de preservar siempre intacto el deseo: es la primera gran generación de frígidos. Porque en una segunda lectura la separación de los sexos que conlleva la prédida del Paraíso, arrastra una pérdida mucho más dramática, lo que Eliade llama, el *elemento supraparadisíaco*[26], la inmortalidad o, dicho en otras palabras, la eterna juventud. Al hombre se le condena a separarse en dos, a dividirse, a decantarse sexualmente[27], y se le condena, sobre todo, a dispersarse al infinito, a reproducirse. Así, el final del Paraíso es también el final de la eterna juventud, que acaba en el momento en el que "el Cielo fue *separado* de forma abrupta de la tierra, cuando se convirtió en algo *remoto,* igual que en nuestros días"[28]. Esa diferencia sexual, por tanto el final de la juventud, se asocia a lo femenino —tradicionalmente un concepto que conlleva por un lado la enfermedad y por otro la culpa. En la representación, la obsesión por preservar la juventud se manifiesta a través de imágenes de adolescentes asexuados —ellos y ellas— congelados durante la pubertad, cuando no se han resuelto aún las características sexuales. Son imágenes del deseo del otro y la frigidez propia, esencialmente masculinas.

De esta forma el fin de siglo esconde detrás de sus adolescentes congelados el miedo a las arrugas y convierte a sus mujeres no en las compañeras igualitarias que soñaba la primera mitad del 800, sino en compañeros ideales, en hermanos incestuosos de caderas estrechas y pechos tímidos[29], sin pudor y sin placer. Sólo puro deseo entrelazado a menudo con tendencias homosexuales que acaban por concluir en la inevitable confusión de términos como androginia, hermafrodististmo y homosexualidad. El fin de siglo refleja, sobre todo, una profunda nostalgia del ideal inexistente más que perdido: el divino Hermafrodito, otra vez.

[26] Eliade, 1984.

[27] Escoto Erígena opina que la división sexual es consecuencia del pecado, al igual que Jacob Böhme, para quien la aparición de los dos sexos es consecuencia de la primera caida.

[28] Eliade, 1960, 59.

[29] Expresado en el *Vice Sûpreme* de Peladan y recogido por Busst, 1967, 55.

3

El divino Hermafrodito, otra vez

Una de las iniciadoras de la moda de mujeres travestidas en el siglo XIX —aunque mucho más que travestidas— es sin duda Mademoiselle de Maupin, controvertida heroína de Gautier que explicita muchos de esos ideales que se van imponiendo con más fuerza a medida que avanza el siglo.

Los casos de travestismo son numerosos a lo largo de la historia y suelen implicar engaño, deseo de aventura o, sencillamente, miedo a lo que no se aprehende. Sin embargo, en el caso concreto de Maupin el engaño es mucho más sintomático porque ella simboliza la belleza a la moda del XIX[1], un ideal de mujer pálida y frágil —en principio nada masculina— que vestida de hombre enamora a un joven que desconoce su naturaleza de mujer, dándole así pie a meditar sobre los encantos del andrógino y de la belleza adolescente que acaba por aplicarse a hombre y mujeres.

Mademoiselle de Maupin (1835-36) es uno de los primeros ideales de evasión protagonizado por una joven que a veces es hombre y otras mujer, que es amada por un hombre y una mujer —en la misma línea de la *Fragoletta* de Latouche y la *Séraphita* de Balzac[2]— y representante además de un tipo de joven desinhibida, si no liberada, que a menudo es percibida por el público como una simple lesbiana. Pero Gautier, como especifica Praz, sale al paso de nuestras restringidas sospechas aclarando que no es una lesbiana, ni siquiera una mujer con mente de hombre sino más que eso: a veces su cuerpo posee características masculinas pasando de ese modo Maupin a representar el tan controvertido tercer sexo. Pero Maupin es sobre

[1] Banner, 1983 para una discusión concreta de los ideales de belleza femeninos. Su estudio, aun referido a un ámbito preciso, es un punto de arranque necesario a la hora de analizar otros ideales.

[2] Sobre estos problemas, Praz, 1984, especialmente el capítulo "La belle dame sans merci", y Berta, 1985.

todo, en palabras de Allen, el perfecto hermafrodito que fascina a los dos sexos y en una misma noche hace el amor con sus dos enamorados.

En todo caso, Gautier es un realista, de modo que no se permite describir de forma explícita al hermafrodita, técnicamente hablando. Un escritor como él no puede aceptar, por definición, algo que sólo raramente existe en la realidad, si bien sus aclaraciones sin sosiego dan lugar, una vez más, a ambigüedades de todo género.

Porque son una entelequia inalcanzable y preludian la reacción decadentista fin de siglo contra el materialismo reinante[3], los andróginos/hermafroditos se hacen tan propulares en la literatura del momento. La misma imposibilidad de encontrar satisfacciones en el mundo exterior lleva a buscarlas en un mundo imposible —luego deseable—, el del vislumbrado divino Hermafrodito que tanto interesaba a Gautier y que más recientemente el pintor americano Forrest Bess ha enfatizado no sólo a través de símbolos y obras que hacen referencia concreta al hermafrodito, sino en su propia trayectoria vital, siempre obsesionado por ser una mujer y sacar a la luz el doble ser que vive en su interior.

Resulta difícil determinar si estos fenómenos son andróginos, hermafrodíticos u homosexuales. De hecho, el término *androginia* se intercambia con otros que en principio no deberían ser en absoluto intercambiables. Uno de los equívocos más comunes es el concepto de *hermafroditismo,* probablemente por la arbitraria distinción que siempre ha tenido respecto a la *androginia,* aunque técnicamente se refiere el primero de forma básica a una falta de diferenciación sexual a nivel físico, algo tangible por lo tanto y existente en la realidad, a pesar de no tener excesivas manifestaciones en la naturaleza.

Incluso a pesar de su rareza, la preocupación por los hermafroditas aparece en el mundo occidental como una obsesión de matices casi cientifistas a lo largo de los siglos XIX y XX. Las distintas publicaciones, además de manifestar el interés a menudo morboso sobre la cuestión, recalcan, incesantemente, la preocupación por las delimitaciones y definiciones del término. Dentro de esta línea se encuentran obras como *Historia de los eunucos* de José García Serrano que ya en 1875 se propone establecer los límites explicando cómo hermafrodita "significa, en general, la reunión de los dos sexos, masculino y femenino, en un mismo individuo, ambos útiles para reproducir la especie"[4] y apostillando que estos casos no existen sino en la ficción y son patrañas populares. En una línea muy parecida se expresan Keller, quien en 1940 ofrece una síntesis de la historia del hermafroditismo, o Lind, para quien en la vida moderna la palabra andrógino es utilizada para denominar a aquellas personas cuya estructura física, psique y vida social es femenina si bien sus órganos son masculinos[5].

[3] Esa es la tesis de Jullian, 1971.

[4] García Serrano, 1875, 62.

[5] Keller, 1940, 471-77. Otras publicaciones sobre el tema son la curiosa biografía de Earl Lind, *Autobiography of an Androgyne,* de 1918, publicada en Nueva York, 1975. Partiendo de Ellis y sus mujeres disfrazadas de hombre, llega a explicar cómo él es una mujer a la que la naturaleza ha disfrazado de hombre. En todo caso, sus aventuras tienen un matiz más bien homosexual y al final se acaba sometiendo a una castración. Merece la pena recordar también Loveman, 1926 y en la misma línea, aunque con diferencias obvias, Teodori, 1979.

Parte de la confusión deriva de las imágenes del hermafrodito que tan populares llegaron a ser en la Grecia clásica y que, erróneamente, Winckelmann interpretó como copias idealizadas de bellos eunucos[6]. Esto parece altamente improbable teniendo en cuenta el horror que causaban a los griegos las criaturas con deformidades sexuales: las consideraban como el fruto de un castigo divino que acababa por morir abandonado[7]. Cuesta creer que para una estatua clásica de Hermafrodito, cuya búsqueda última era la perfección absoluta, se tomara un modelo imperfecto —el eunuquismo[8]. Parece más acertada la tesis de Delcourt[9], para quien los originales son un producto intelectual y no copias de algo existente en la realidad, igual que sucedía en el caso de Gautier.

No sólo las imágenes del hermafrodito dormido, sino las múltiples versiones del tema, fueron fuente iconográfica de importancia extrema durante el siglo XIX. Indudablemente, la mitología de la Grecia clásica está plagada de figuras andróginas siendo, tal vez, Dionisus la más conocida[10], sobre todo por las reproducciones que se conservan, aunque a menudo se olvide su doble naturaleza. En todo caso, la mayoría de estas figuras tienen un valor meramente simbólico y están poco ligadas a la realidad. Es frecuente asociar estos ideales de belleza a la estatua, aun conscientes de su esencia de ideal inalcanzable o, más bien, precisamente por eso. Al mismo tiempo el hermafroditismo/androginia también se asocia a abiertos hábitos homosexuales —muy extendidos en algunos momentos históricos—, por lo que la confusión de términos se extiende incluso más allá de la primera gran diferencia entre androginia y hermafroditismo.

Además de Gautier, infinidad de autores vivieron el siglo obsesionados por ese ideal clasicista a un tiempo asexuado y lascivo, como lo define Praz[11], que se imbricaba tenazmente en la literatura y la pintura —casos muy concretos son el de Huysmans, cuyo des Esseintes colecciona Moreau, o la amistad de Swinburne y Rossetti. De hecho, Gautier se extasiaba ante la ambigua danzarina Fanny Elssler, que le recordaba "las formas de un joven bello y un poco afeminado como Baco y Antinoo"[12]. Swinburne hace referencias directas a Baco y Policles en la obra más representativa del ideal de hermanos incestuosos, la inacabada *Lesbia Brandon,* que resume las ideas de androginia e incesto. Cuando Margaret encuentra a Herbert dormido le describe como "una cabeza acariciada por Baco y esculpida por Policles". Son claras las referencias al ideal andrógino de Wincklemann, así como las clasicistas de Baco, que no deberían ser interpretadas a través de las notorias borracheras de Swinburne, sino en una lectura que recoge la tradición caravaggesca de los Bacos sensuales y andróginos, iconos memorables que refleja el *Baco* de Salomon y recoge la publicidad contemporánea[13].

[6] Friedrischsmeyer, 1983, 13 y Busst, 1967.

[7] Tesis recogida por Eliade, 1982 y Delcourt, 1961. Otro libro interesante es Parsons en el que se comenta cómo las leyes son siempre negativas para los andróginos.

[8] Busst, 1967, 2.

[9] Delcourt, 1961, 2.

[10] Otras figuras alternativamente femeninas masculinas son Teiresias y Narciso.

[11] Praz, 1974, 215.

[12] Idem, 244.

[13] Citado por MacDonald Allen, 1975, 233.

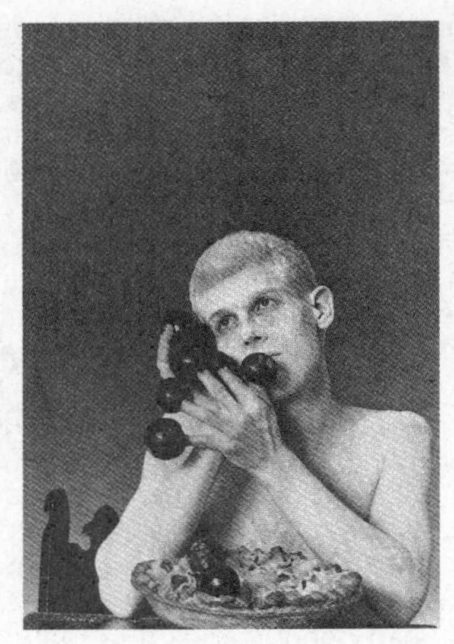

Publicidad de 103 Second Street Restaurant aparecida en *Details* (Nueva York) en octubre de 1986.

Otro autor obsesionado por la idea de la androginia es Peladan, cuyos personajes resumen el ideal hermafrodítico como forma de satisfacer los deseos para aquéllos que no los pueden satisfacer en la realidad. Peladan simboliza al tiempo todas las perversas contradicciones del momento: androginia y hermafroditismo, sexualidad y virginidad, castidad y falta de moral. El autor habla del andrógino por boca de Tammuz quien dice que es "el adolescente virginal masculino, aunque algo femenino, mientras la *gynander* sólo puede ser la mujer que desea características masculinas, la usurpadora sexual"[14]. La materialización de las contradicciones es, sin duda, Leonora d'Este: al rechazar a todos los hombres sin haber experimentado ningún tipo de placer, se convierte otra vez en el símbolo del deseo nunca satisfecho. Reune al mismo tiempo una serie de características bisexuales, si bien su androginia se debe más a la intención de preservar el deseo frente al placer.

Existe pues una diferencia esencial entre el hermafrodita de Shelley —asexuado— y el Swinburne —que explicita que su deseo no es sólo mental sino físico[15]. De hecho los personajes a la moda descritos y pintados durante el fin de siglo reunen, como explicitan los tipos de Moreau, la asexualidad y la lascivia y son, esencialmente, autosuficientes, creando una extraña combinación de ambiguedad sexual y moral acompañada a menudo con una amplia aceptación de los hábitos homosexuales, tan en voga en ese momento. El resultado físico del ideal de belleza está muy en la línea de los personajes de Leonardo que no representan la *feminización,* sino la *efebización*[16].

[14] Dijsktra, 1986, 273.
[15] Allen, 1983.
[16] Dijsktra, 1986, 199.

Estatua de Hermafrodito
(Museo Nacional de Estocolmo).

Quizás todos estos son los factores que exasperan la dificultad para distinguir lo andrógino de lo hermafrodítico, de lo homosexual, bisexual o del simple travestismo o transexualidad —si estos fenómenos se pueden llamar simples.

Autores clásicos como Hirschfeld o Franz von Baader tratan de encontrar una definición válida para los términos[17]. El primero, distingue entre *hermaphroditismus genitalis* (hermafroditismo) y *hermaphroditismus somaticus* (androginia); el segundo estima que el hermafrodita es bisexual y el andrógino asexual. Incluso autores contemporáneos prefieren considerar los dos términos "sinónimos exactos". Por ejemplo, Busst ofrece la siguiente definición sobre el andrógino: "una persona en la que se reunen ciertas características esenciales de ambos sexos y que, por lo tanto, puede ser considerada tanto como un hombre o como una mujer o ni como un hombre ni como una mujer, como bisexual o como asexual"[18]. Por el contrario, Francette Pacteau[19], desde una perspectiva más radical, estima que el andrógino es el vestido y el hermafrodita el desnudo, en cierto sentido asociado el deseo, pues, como explica Alberoni[20], la mujer vestida es seductora, el sueño imposible que se hace posible —sexual— al desnudarse.

[17] O'Flaherty, 1980, al estudiar los verdaderos andróginos en las distintas religiones de las que se ocupa, señala que estos no tienen cualidades eróticas y no se deben confundir con los hermafroditas o aquellos en los que se ha procedido al cambio de sexo.

[18] Para discusión detallada Busst, 1967, 1.

[19] Pacteau, 1986, expresa implicaciones de índole conceptual: el hermafrodita aparece desnudo porque sus atributos son físicos y porque ostenta una bisexualidad. El andrógino está vestido porque sus atributos son mentales y es asexual desde un punto de vista puramente físico.

[20] Alberoni, 1986.

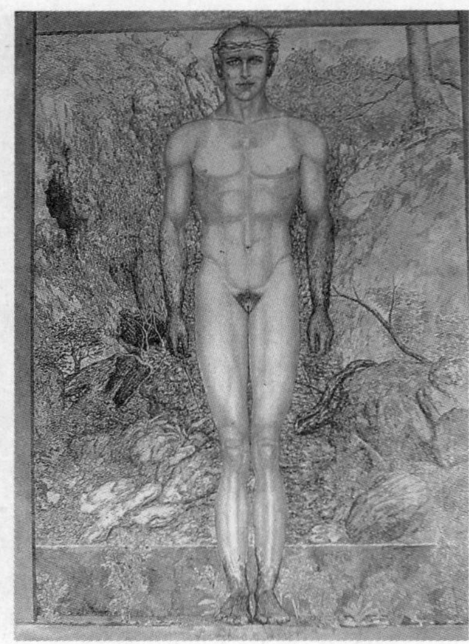

Vicente Ameztoy, s. t.

Ciertamente hay algo muy real en esta definición. El hermafrodita es obvio, se ofrece descarado al espectador, le desvela sus más íntimos secretos. Tanto las estatuas clásicas como las pinturas o las fotografías contemporáneas representan algo esencialmente sexual, igual que los populares travestis de las ciudades occidentales, quienes con grandes escotes airean unas faldas debajo de las cuales no se *intuye* sino que se *muestra*. Así el hermafrodita/travesti es esencialmente sexual, mientras que el andrógino publicitario es asexual y en él todo es elucubración, deseo imposible, lo que puede ser y puede no ser. Es, igual que en el siglo XIX, el hermano, el incesto.

El hermafrodita/andrógino acaba por superar cualquier intento de clasificación aunque en la iconografía clásica el hermafrodita se suela representar a través de una figura dividida horizontalmente (pechos y falos) mientras que el andrógino se divide generalmente en dos mitades verticales[21]. La iconografía hermafrodítica suele de hecho recoger, de manera patente, la explicitación de lo más llamativamente sexual en los hombres —el pene— y en las mujeres —los pechos. Pocas veces aparece un hombre con vagina y desde el punto de vista de lectura inmediata es comprensible porque esa característica sólo se evidencia en una segunda mirada, aunque la explicación más pertinente habría que buscarla en el tradicional temor a los órganos femeninos primarios —casos como el de Felicien Rops y su *Alegría hermafrodita,* donde el clítoris se presenta como un delicado falo[22], o los hermafroditas de Vicente Ameztoy son infrecuentes. Una de las características del hermafrodita es su

[21] O'Flaherty, 1980, se aventura mucho más en sus definiciones —aunque no distingue entre hermafroditas y andróginos— hablando de andróginos buenos y malos y metiendo dentro de esas categorías a los eunucos, travestis, cambio de sexo, macho preñado, el andrógino que alterna entre hombre y mujer y los gemelos. Laurent, 1984, habla de las diferencias.

[22] Dijskstra, 1986, 159.

Joey Arias en una escena de la película
Mondo New York.

obviedad, tenerlo todo a mano, como comentaba Angel González en un reciente texto; es el mismo principio que rige el deseo representado por el protagonista del *Perro andaluz* de Buñuel o algunas figuras del Picasso de los años 30, en las que unos pechos femeninos flotan en un todo ambiguo que Eluard apostilla en sus *Ombres:* "te abrazas a ti mismo sin saber que estás allí"[23].

Partiendo de esa idea se podría decir que el hermafrodita revela una mirada culturalmente masculina, una mirada explícita que deja muy poco a la ambigüedad. Por el contrario, la androginia desvela una mirada mucho menos obvia que se podría corresponder a la femenina. El hermafrodita es presencia y el andrógino ausencia —características que definen lo masculino y lo femenino— y, tal vez, se puede asociar el hermafroditismo a la plurisexualidad y el andrógino a la asexualidad, al poder y a la falta consciente/inconsciente de poder o, dicho de otro modo, el hermafrodita simboliza el placer y el andrógino el deseo. El hermafrodita es la antítesis de la sirena cuya fracción de cuerpo visible preludia un placer que jamás se hará realidad. La sirena ha representado siempre la trampa de la feminidad, un sofisticado tipo de fetichización femenina que el hombre ha convertido en la máxima forma de seducción. La sirena es, de hecho, un hermafrodita sustraido y no parece casual que Joey Arias nos salude desde la película *Mondo New York*[24] disfrazado de sirena masculina, cuya fascinación reside en la doble trampa: el sólo atributo de poder sexual es el peinado fálico, sueño de los años cincuenta. Pero si bien las apariencias parecen situar a lo andrógino y lo hermafrodita en dos miradas diferentes, ambas acaban por reflejar los deseos masculinos —en el fondo es lo mismo.

Los surrealistas manifestaron siempre el interés por lo andrógino a través de sus imágenes, refrendado por numerosos artículos publicados en *Cahier d'Art* o *Minotaure* con referencias más o menos directas al tema —alquimia,

[23] Eluard, 1953, 51. Sobre el problema de los cuerpos en Picasso, González García, 1991, 23, nota 5.

[24] Esta película, dirigida por Harvey Keith sobre guión de Stuart Shapiro, fue estrenada en Nueva York en 1988. En ella se describen varias escenas de la vida neoyorquina: clubs sadomasoquistas, actuaciones de Dean Johnson etc. Para más información Musto, 1988, 72.

Man Ray, *Barbette,* 1926.

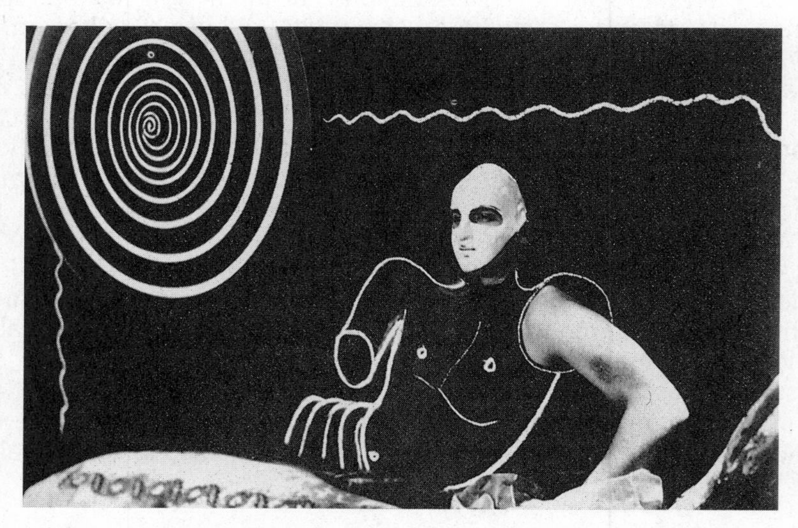

Jean Cocteau, Hermafrodita (de *La sangre de un poeta,* 1930).

Joker, Méjico, 1930.

psicoanálisis...— y el mismo Lautremount veía en el Hermafrodita la esencia de toda belleza. Pero con los surrealistas el andrógino se convierte en abierto hermafrodita, reflejo más del miedo hacia la mujer que de la *adoración* que supuestamente le profesaban y de la que pocas mujeres se fiaban —menos que ninguna Colquhoun, escéptica de la "adoración de Breton hacia las mujeres pero fascinada por sus conversiones sobre automatismo"[25].

La pasión por reconstruir al andrógino con connotaciones hermafrodíticas aparece entre otros en Andre Masson o Dalí y, sobre todo, en Man Ray, cuya obsesión queda plasmada en imágenes como el *Hermafrodita* (1919) y en la serie de fotografías de Barbette, comentadas por Jean Cocteau, artista de supuestas tendencias homosexuales, que en *Sang d'un poete* presenta al hermafrodita como reflejo del narcisismo del artista. El texto, lleno de referencias clasicistas, explica cómo "se recuerdan esos pintores florentinos que utilizaban jóvenes como modelos para sus cabezas de Madonna"[26], retomando los procesos de *efebización* y plasmándolos en el "encantador" Barbette, como le llama Cocteau.

Man Ray realiza también una serie de retratos de mujeres en la segunda serie de *The Age of Light* —todas anónimas, salvo el último retrato de Gertrude Stein[27], ella misma también frecuentemente travestida. Se trata de mujeres a la moda, con cuerpos un tanto masculinizados como los de las mujeres deportistas de los años 20 de este siglo o como cuerpos juveniles los retratos que el fotógrafo hace de Meret Oppenheim[28]. Los retratos masculinos

[25] Chadwick, 1985, 129.

[26] Cocteau, 1988, s. p.

[27] No es en absoluto aleatorio que sea Breton quien las representa, teniendo en cuenta su obsesión por lo femenino como inconsciente.

[28] Para una discusión crítica sobre el tema, Caws, 1985, 262-87.

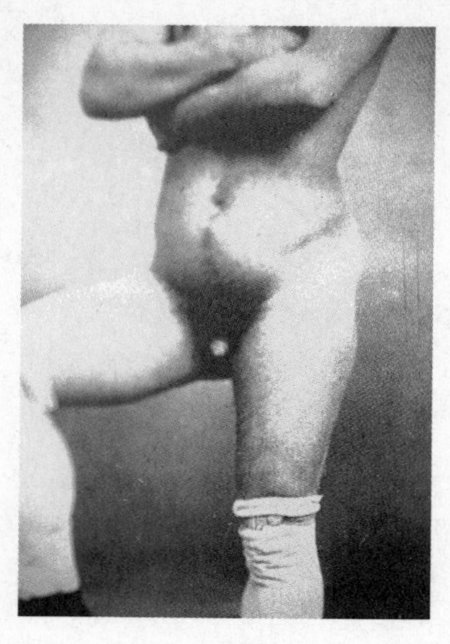

Nadar, *Hermafrodita,* hacia 1860.

de la tercera serie también presentan unos hombres androginizados, sobre todo a través de los gestos coquetos —las actitudes definen los géneros. Esta serie es presentada por Duchamp/Rrose Sélavy y Barbette aparece entre los retratados. La quintaesencia del exorcismo andrógino, Duchamp/Sélavy, concluye al fin hablando de los hombres retratados: "esa cara, siempre esa cara que conocen tan bien. Pues sólo tienen cuerpo por la noche y en los brazos de una mujer. Pero con ellos va siempre, omnipresente, su cara"[29].

La pasión por el andrógino lleva a Albert Beguin a publicar en *Minotaure* el artículo "L'Androgyne"[30], en el que trata de recuperar las raices históricas del fenómeno enfatizando, como es lógico, esas características de separación/unión[31], y de igual modo el *Beso* de Brancusi —tema que desarrolla desde 1908[32]— expresa la pasión por la fusión, íntimamente ligada a la concepción de la mujer entre los Surrealistas. El interés común se manifiesta en formas diametralmente opuestas que van desde el canto a la unidad de Breton en *Arcane 17,* pasando por el epítome de la ambigüedad Duchamp/Sélavy, para llegar a las castraciones de Bellmer, obsesionado por la muñeca andrógina y contestado por *Familia de pinos* de la inglesa Colqhoum, transposición de la castración masculina[33].

Esa fascinación por la mujer no significa ni mucho menos comprensión o respeto hacia lo femenino. En la famosa reunión convocada por Breton en 1928 para hablar de cuestiones sexuales resulta llamativo que no se invitara

[29] Penrose, 1975, 121.
[30] Beguin, 1938, 10 ss.
[31] Para una discusión detallada sobre el tema, más concretamente sobre la androginia en Magritte, Masson, Chagall, etc., Knoot, 1975.
[32] Geist, 1973, 77 ss.
[33] Chadwick, 1985, sobre el particular.

a ninguna mujer a pesar de que el eros surrealista supuestamente trataba de liberar a la mujer en lo sexual. En el fondo, no era sino la excusa que resumía los miedos y las obsesiones de los hombres a través de esas mujeres a veces fálicas, a veces ninfómanas sedientas de placer —pero, ¿placer para quién?

Los surrealistas fueron incapaces de enfrentarse a la mujer real, como muy acertadamente apuntan Parker y Pollock, y redefinieron lo femenino a través de nuevos conceptos inverosímiles —Mujer Niña, Mujer Esfinge...— a los que se opuso la búsqueda de las mujeres de un lenguaje propio en el cual la androginia no era la simple asimilación de la imagen de la mujer a la imagen del hombre a través de la metáfora del andrógino o la pareja, como comenta Chadwick[34], sino la búsqueda de un vocabulario alternativo en el que la Esfinge poderosa domina el sueño del joven, poniendo en tela de juicio las convenciones más arraigadas sobre la representación del cuerpo femenino[35].

En numerosos casos sería posible hablar de homosexualidad abierta o latente de los surrealistas y son esas implicaciones homosexuales en algunos movimientos que basan su lenguaje en las representaciones andróginas, las que hacen que *homosexualidad* se intercambie con *androginia,* igual que sucede en los años 80 de este siglo. Fruto de las mismas confusiones es el concepto de *bisexualidad.* Singer[36], y con ella todo un grupo de psiquiatras y psicoanalistas, llega incluso a negar que la androginia esté ligada a efebos con vaporosos trajes de mujer y a mujeres con aspecto de jovencitos, es decir a esa sensibilidad *camp* de la que habla Susan Sontag.

La androginia es, de hecho, una actitud de orden psíquico, aunque también es un deseo de fusión en el otro y la dificultad de expresar visualmente estos conceptos ha llevado a definir y redefinir la androginia que al final ha acabado por perder su significado primero. Aquello que es unisex, es andrógino, como el perfume de la diseñadora Jill Sanders o la moda andrógina de Armani. Nuestro deseo de androginia nos ha llevado a maltratar el término y vulgarizarlo de tal modo que la década pasada se llamó andrógina a la torera de las medias Dim.

[34] Chadwick, 1985, 182. Para discusión sobre la sexualidad, 103-140 y Benayoun, 1965.
[35] Sobre la discusión del cuadro de Fini, Parker y Pollock, 1981.
[36] Singer, 1976, 30 y 32.

4

No se nace enseñado: revisando el género

Hasta ahora se ha hablado de hombres disfrazados de mujer y mujeres disfrazadas de hombre, que es tanto como decir que se admite un modelo femenino y otro masculino como *normales,* válidos. Naturalmente esto no es del todo cierto pues sería más preciso decir que hay modelos artificiales —construcciones culturales— y las representaciones masculinas y femeninas están sujetas a convenciones y como tales van cambiando, condicionadas por factores que se resumen en los hábitos predominantes en cada momento histórico y en cada sociedad. De hecho, el *yo* se construye siempre en relación al *otro* y nunca único sino múltiple.

El problema entonces radica en definir qué es *normal,* qué *entendemos* por *normal.* Gosselin apunta que existen al menos dos cuestiones a tener en cuenta a la hora de establecer qué es normal desde el punto de vista de conducta sexual. La primera es la estadística y la segunda la médica o patológica, a pesar de ser ambas escandalosamente tendenciosas como se puede comprobar observando los cambios que se han ido operando a lo largo de la historia del mundo occidental[1] o las variaciones que se verifican de una generación a otra[2]. El concepto *normal* referido a los hábitos sexuales está, en primer lugar, unido a lo que establece la norma y, en segundo, a lo que establece la psiquiatría que, en el fondo, nos reconduce a la norma —hay formas socialmente aceptadas de expresar la sexualidad y formas que no lo son. Podría ser posible replantearse el concepto de locura como diferencia y decir desde una perspectiva lacaniana que ésta no tiene explicaciones organicistas sino que es un discurso alternativo, un intento de comunicación

[1] La homosexualidad es, tal vez, uno de los ejemplos más claros. Socialmente aceptada y animada en el mundo clásico y puesta en escena a través de un complicado montaje de favores y regalos. Para información más completa, vide Sergent, 1984.

[2] Gosselin, 1980, 21 ss.

diferente que debe ser interpretado, como podría ser un discurso alternativo, fuera del dominante, el femenino. Lo que parece en todo caso arriesgado es intercambiar los términos *enfermo* y *anormal,* como sugiere Gosselin, porque hay muchas personas que se sienten a gusto con sus particularidades sexuales y no quieren ser *curadas,* homogeneizadas. Algunos de los casos más frecuentemente estudiados son los de los fetichistas y sado-masoquistas que en numerosas ocasiones son personas perfectamente *normales* e integradas en su vida cotidiana; en otras palabras, tienen conductas socialmente aceptadas en los demás aspectos de su vida[3]. La realidad es que este tipo de personas tiene sencillamente un interés que desarrolla un discurso diferente al normalizado y se ve forzada por la sociedad a canalizarlo en lugares de encuentro específicos o revistas especializadas. Al salir del club sadomasoquista, donde tienen la oportunidad de encontrarse con personas de intereses parecidos, vuelven a ser perfectamente *normales,* sin dar muestras patológicas específicas porque "el sadomasoquismo *per se* no es tan horrible como la sociedad uniformada puede creer"[4], o al menos objetivamente no más patológico que la subscripción a una revista de motociclismo o la pasión por el fútbol, aunque este tipo de expresiones sean más *habituales,* aceptadas por la mayoría. O tal vez se podría decir que durante el tiempo que pasan en el club se disfrazan de sadomasoquistas, siendo al final una convención social como otras, como el resto —¿hinchas disfrazados de hinchas en un estadio?

El concepto de *género* está sometido a las mismas manipulaciones, si bien la idea de *género* como convención social impuesta desde el momento en que nacemos —y no asociada a factores biológicos— es algo cada vez más aceptado. Cuando nace un bebé, antes de determinar si es *normal* desde un punto de vista estrictamente físico —si tiene dos manos, dos piernas o dos ojos— se especifica algo mucho menos relevante pero que va a condicionar su vida futura y va a poner de manifiesto la educación diferenciada que reciben hombres y mujeres: en un niño, es una niña. A partir de ahí, incluso el más banal de los símbolos —la ropa— los diferencia: a las niñas se las viste de rosa —color asociado en nuestra cultura a los afectos— y a los niños de azul —asociado al trabajo. Las mujeres deben dedicar sus vidas a los afectos vestidas de rosa y los hombres deben ganarse la vida vestidos de azul. Pero como al final las mujeres tienen que trabajar además de sentir, el azul entra en sus vidas a medida que se hacen mayores —uniformes de colegio. No deja de llamar la atención que por el contrario el rosa no suela pertenecer al ámbito de lo masculino sin implicaciones de afeminamiento[5], lo cual hace sospechar sobre la definitiva exclusión masculina del mundo sentimental.

Y sin embargo, nacer hombre o mujer no tiene implicaciones de comportamiento irreversibles, más bien nos comportamos como hombres y como

[3] Gosselin comenta el caso de un matrimonio que en su vida sexual practica el sadomasoquismo, actividad en la que los dos parecen encontrar su identidad. De hecho, la violencia del marido hacia la mujer sólo se manifiesta en las prácticas sexuales. Gosselin especifica en su caso de estudio que "su amabilidad y atenciones hacia ella así como el profundo afecto que se profesan quedan claros a lo largo de la entrevista". Gosselin, 1980, 56.

[4] Gosselin, 1980, 52.

[5] Lurie, 1983, 214.

mujeres por esa determinada educación. Es lo que se suele denominar como *roles,* la predeterminación en la conducta de una persona —algo que la sociedad espera y anima. Dichos papeles están íntimamente ligados al concepto de norma —cómo se *debe* comportar la gente— y al concepto de estereotipo —cómo se *suele* comportar la gente. Así los *roles* son patrones de comportamiento relacionados con lo que se suele hacer y con lo que idealmente se debería hacer. Brannon asocia los *roles* sociales a los papeles del teatro[6] enfatizando cómo actuar dentro de un determinado rol conforma también la personalidad del individuo, la cual es para un sector de la psicología el residuo o la integración de los roles sociales aprendidos, convirtiendo de este modo la imitación en metamorfosis.

Igual que sucede con los *roles* sociales, también los sexuales son aprendidos y no innatos, si bien una buena parte del problema no radica sólo en la posición determinista —es un hombre, se comportará como tal sexualmente— sino en la tendencia generalizada a confundir la sexualidad con el sexo biológico o el género, cuestiones que en definitiva poco o nada tienen que ver. La psicología establece comunmente tres aspectos primarios[7]. Se podría hablar en primer lugar del sexo biológico, más fácil de definir porque se centra en lo estrictamente físico, en nuestras capacidades reproductoras; en segundo, de la identidad de género, que se limita, según la clasificación de Stoller[8], a la aceptación del sexo biológico. Esto no tiene nada que ver con el tercer aspecto, el sexo psicológico, aceptar el propio sexo biológico pero comportarse respecto a patrones de otro sexo, sin que este aspecto esté relacionado tampoco de manera definitoria con las preferencias sexuales. Dentro de la última clasificación hay tres categorías: masculino, femenino y andrógino. La identidad de género, dice Stoller, "implica una conducta psicológicamente motivada"[9].

Los *roles* sexuales se corresponden, pues, al comportamiento aprendido en función de los hábitos culturales y la antropología no deja resquicio a la menor duda. Ya en los años 30 de este siglo Margaret Mead observó sorprendida cómo existían culturas en las que los roles eran tres o incluso cuatro, a veces idénticos a los occidentales aunque intercambiados[10].

[6] Dichos puntos son los siguientes: 1. cada *rol* social es puesto en escena por muchas personas diferentes. 2. Toda persona tiene muchos *roles* a lo largo de su vida. 3. Todo *rol* se desarrolla en combinación con otro. No hay marido sin mujer, no hay profesor sin estudiante... 4. Todos los *roles* implican una cierta flexibilidad. En otras palabras, hay variaciones permitidas. 5. Actuar dentro de un *rol* social durante un tiempo largo acaba por tener una cierta influencia sobre el individuo. En Brannon, 1985, 300-1.

[7] Kaplan, 1980, 11.

[8] Stoller, 1977.

[9] Stoller, 1977, 10.

[10] Entre muchas tribus de indios americanos era de hecho frecuente encontrar un tercer sexo que podía actuar como femenino o masculino, dependiendo de la conveniencia o el momento, como en el caso de los Navajo. Los Mohave llevaban las cosas incluso más allá al contemplar la posibilidad de la mujer que quería ser hombre, *hwame,* y el hombre que quería ser mujer, *alyha.* Estos sexos intermedios eran respetados y no eran considerados como algo anormal. Los Arapesh no tenían noción de *roles* y los Tscahmbuli tenían *roles* definidos como los nuestros, pero completamente cambiados desde nuestra perspectiva: los hombres se comportaban como mujeres —arte, belleza personal— y las mujeres como hombres —ganarse la vida, administrar el dinero... Además de los conocidos testimonios de Mead, Brierley, 1979, 70-72 recoge otros

Duren-Smith y de Simone recogen algunos casos clínicos que demuestran lo artificial de la diferencia de los sexos fuera del ámbito puramente biológico e incluso cómo lo aprendido supera ese ámbito. Las personas que han sido educadas dentro de los códigos de un sexo se comportan según esos códigos y quieren mantenerlos a pesar de descubrir en la madurez que desde el punto de vista del sexo biológico pertenecen al sexo contrario[11]. Lo que las autoras tratan de demostrar con estas historias poco habituales desde el punto de vista clínico, es que la orientación sexual se aprende al igual que la identidad de género. Todos nacemos con una naturaleza bisexual y sólo después del nacimiento se fuerzan las diferencias sexuales en nuestro cerebro a través de lenguajes no verbales de signos establecidos —rosa *versus* azul— y a través de lenguajes verbales presentes en la misma educación potenciada por los padres —qué niño tan fuerte, qué niña tan guapa, como explica Stoller[12].

Esta definición sexual impuesta va creando una serie de presiones en ambos sexos, que en el caso de la mujer se manifiestan a través de la percepción de la feminidad como un valor negativo[13] y en el del hombre a través de una identificación en el ámbito de lo irreal acrecentada por el miedo latente a la homosexualidad. La identificación de las mujeres con su género se lleva a cabo en el ámbito de lo cotidiano —las niñas juegan a las casitas con harina de verdad—, mientras la de los hombres está ligada a lo heróico, muy alejado del mundo tangible— disparan armas sin balas y juegan con trenes miniatura. La trasgresión de las niñas no es, además, algo tan fuertemente criticado[14], tal vez por la subvaloración social de todo lo femenino que permite a la mujer manifestar su bisexualidad e incluso la anima a adecuarse a las normas de comportamiento masculinas.

No parece necesario insistir en la bisexualidad humana presente en los planteamientos de Freud y Jung, a su vez retomados en los últimos años 70 y primeros 80 por ese sector de la psicología/psiquiatría defensor de la androginización, de un cambio de hábitos que desemboquen en una mayor armonía y en un supuesto bienestar social. Desde las primeras aproximaciones feministas cualquier fractura en el sistema era observada como un paso

ejemplos en el mismo sentido, como algunos pueblos esquimales en los que la mujer toma el papel de luchadora y los pigmeos Mbuti con *roles* cambiados desde el punto de vista occidental. Incluso dentro de nuestras sociedades hay distintos tipos de comportamiento respecto al género.

[11] El primer caso presentado es el de la señora Went, cuya identidad de género aparece separada de su identidad de sexo genético. La señora Went es un ama de casa inglesa como tantas "sin problemas de adaptación, casada y con dos hijos adoptados. Pero si viviera en Escocia, tan sólo unas millas al Norte, el Estado la consideraría un hombre. De hecho es un hombre genéticamente. Padece un desorden genético muy poco frecuente". Es consciente de sus problemas a los veintitrés años, ante la ausencia de menstruación, y el médico le explica que técnicamente es un hombre. Ha sido educada como una mujer y prefiere mantener los hábitos adquiridos y vivir su vida como una mujer. El segundo caso que aportan en su antítesis, un muchacho malayo criado como un chico que ha nacido con pene y una pequeña abertura vaginal. Cuando en un momento empiezan a crecerle los pechos consulta a un médico que le explica sus problemas de hermafroditismo. El se siénte un hombre porque ha sido educado como tal y decide operarse los pechos y la vagina. Duren-Smith y de Simone, 1983, 102 ss.

[12] Stoller, 1985, 10.

[13] Stoller, 1985, 16.

[14] Brierley, 1979, 75.

adelante, si bien más tarde empezó a plantearse la necesidad de salvaguardar aquello históricamente inscrito en las tradiciones o los hábitos femeninos.

Lo que Peter Heller llama, no sin una cierta dosis de ironía, *polémica sobre la bisexualidad*[15] es una de las cuestiones clave a la hora de entender el fenómeno psicoanalítico fin de siglo. En dicha polémica participaron Freud, Fliess y Otto Weininger, encabezando el reparto, y Swoboda, como actor secundario. El problema se genera en torno a la idea de la bisexualidad que, en opinión de algunos y según él mismo insistía, había partido de Wilhelm Fliess, articulada en un sistema de bioritmos que llevaba a la cosmología sexual. En todo caso, lo que más puede interesar es la forma en que Freud plantea la teoría, pues la idea última que subyace se centra en los componentes femenino y masculino que existen en todo ser humano debiendo cada individuo reprimir aquél que no le corresponda. Para las mujeres esa represión es mucho más dura ya que los hombres sólo se ven obligados a matar su componente pasivo mientras la represión del componente masculino en las mujeres acaba por exterminar a su componente activo sufriendo una doble represión. Según Freud las mujeres no nacen inferiores pero su sumisión es irremediable al ser fruto de la forma de resolución del Edipo en las jóvenes[16].

Dejando a un lado la fascinante polémica, que sin duda tiene numerosos aspectos que relacionan androginia y homosexualidad, a partir de los problemas concretos del doctor Freud y sus discípulos/pacientes como apunta Heller, es imprescindible recordar que para Freud la bisexualidad es algo que hay que *curar,* tal vez por el mismo proceso de culpabilización que el autoanálisis va creando al descubrir sus tendencias femeninas que lee como homosexuales.

Jung se aparta del maestro también en el problema específico de la bisexualidad, que él entiende como algo innato, el elemento arquetípico del inconsciente colectivo, el juego entre los componentes masculinos y femeninos. A través de sus estudios de antropología comparada llega a la conclusión de que numerosas civilizaciones tienen como base la androginia y desarrolla el conocido concepto *anima/animus* que se corresponde lo masculino y lo femenino: la primera crea opiniones, el segundo estados de ánimo. El feminismo de Jung es más que cuestionable por razones obvias, entre otras por su uso de la retórica del genio que excluye a las mujeres de muchos campos[17]. Sin embargo, se podría decir que es él quien ha inspirado la mayoría de las teorías de la androginia como realización del ideal armónico.

[15] Heller, 1978.

[16] La importancia de Freud en el tema de la bisexualidad es enorme y el concepto impregna desde muchos ángulos toda su obra. En todo caso se hace referencia a cuatro estudios en particular "Diferenciación entre hombres y mujeres" *(Tres ensayos sobre la teoría de la sexualidad),* la conferencia "Femenidad" *(Nuevas Conferencias Introductorias en psicoanálisis)* y, naturalmente, la amplia discusión llevada a cabo en *La interpretación de los sueños.*

[17] La retórica del genio opera de tal modo que excluye a las mujeres de muchos campos. Virginia Woolf explica en *A Room of One's Own* que cuando Coleridge dice que la mente del artista debe ser andrógina no expresa simpatía hacia las mujeres. Es una mente femenina en un cuerpo masculino, retomar, en el fondo esos valores jungianos asociados a la mujer. Cuando habla del creador se refiere más bien a un hombre femenino. Para él la mujer en su parte masculina puede inspirar al hombre que se beneficia de las características femeninas. La mujer masculina parodia al hombre. Battersby, 1989, 7-8.

La visión de Duren-Smith y de Simone es en cierto sentido reiterada por Singer, relacionada con las corrientes antifeministas, quien cree, igual que Jung, que los hombres deben permanecer esencialmente masculinos y las mujeres femeninas, siendo la androginia la forma más eficaz de evitar la fractura inicial que según Singer agudiza el feminismo[18]. Su visión, además de conservadora, es fisiopsicológica —relacionando la androginia con el comportamiento sexual— y parte del presupuesto que los esquemas de género establecidos funcionan. La androginia es para ella el ideal que reconducirá al ser humano hasta la armonía perdida: todo ser humano es naturalmente andrógino. Para recuperar el estado inicial basta con retomar la esencia de las épocas de no reproducción (pubertad y vejez) en las que es posible se asexual, libres del trauma de la definición.

La polémica sigue en pie entre los teóricos actuales dando lugar a detractores y defensores de la androginia. Los primeros se basan en la presión que puede ejercer el deseo de ser andróginos y la posible masculización que puede conllevar, y los segundos mantienen la visión positiva de un mundo armónico —aunque en el fondo basado en los principios aceptados del poder (y por lo tanto masculinos). Ciertamente, es posible que aun tomando como base esa androginia armónica y, por lo tanto, la supuesta felicidad, la consecución de esa armonía sea una experiencia traumática o, peor aún, que acabe en una clara masculinización de la sociedad. Inmediatamente surge una pregunta esencial: si es posible androginizarse en una sociedad masculina y si no implica la androginización una masculinización de la mujer o, dicho de otro modo, si la androginización en el mundo contemporáneo no es un ideal de standarización con orientación masculina que resume todos los demás intentos de acabar con aquellas cosas que se leen como particularidades, no sólo de género sino raciales o de clase. Podríamos preguntarnos si la noción de falo en Lacan, como significante de los privilegios masculinos, no vuelve a conformar el deseo de poseer esos privilegios de los cuales está excluida la sujetividad femenina. En otras palabras, si en esta sociedad no sigue ostentando la fuerza la noción de hombre/blanco/clase media/heterosexual que ha obsesionado no sólo a las mujeres sino a las minorías, desembocando en un complicado entramado de homogenizaciones con el modelo dominante en apariencia basado en unos principios de falsa democratización[19].

Este tipo de consideraciones surgen de forma más o menos abierta incluso en teóricas favorables a la androginización. Sargent propone como modelo del perfecto ejecutivo el equilibrio entre los sexos a través de una visión que amalgame las cualidades masculinas y las femeninas. El resultado será un mejor funcionamiento de la empresa al potenciar un ejecutivo comprensivo pero firme, etc. —retomando las características que comunmente se aceptan como del hombre y de la mujer. Pero incluso ella admite que desde la organización social se "anima a las mujeres a comportarse como hombres"[20].

[18] Singer, 1976, 24.

[19] Para una discusión detallada sobre estos problemas y enfatizando el de clase y sus implicaciones en la creación femenina Noclihn, 1988.

[20] Sargent, 1981, 4.

La propuesta de Butler se basa también en la búsqueda del equilibrio, enfatizando las presiones que los nuevos modelos de conducta establecen sobre la mujer al observar "cómo el estereotipo femenino está acabado". Aparece así un nuevo tipo femenino "que abraza lo que Steinmann llama una orientación de 'logros personales'"[21], una mujer poderosa que toma sus propias decisiones pero que acaba por hacerse socialmente antipática porque nunca se relaja, para no poner en evidencia sus debilidades. La solución es llegar a un equilibrio entre lo femenino y lo masculino, alcanzar ese ideal que ella define como "una nueva mujer, un ser humano completo"[22].

Kaplan también apoya la androginia como modelo de bienestar social ya que, al no estar atrapado en los *roles* tradicionales, el ser humano es más adaptable y está mejor ajustado. Su idea reconduce una vez más a los *roles* sociales cuya base establece David Bakan en 1966: lo masculino se relaciona con la acción y lo femenino con la comunicación o, en palabras de Joyce Trebilcot, "la feminidad, en su visión tradicional (...) se centra en la imagen de la mujer como madre, persona que da alimento, calor y apoyo emocional. La masculina se centra en el mando: engloba la noción del hombre luchando para vencer obstáculos, controlar la naturaleza y la noción del hombre como patriarca en la sociedad y la familia"[23].

Los problemas que se generan en torno a la androginia como ideal social son innumerables porque si los *roles* sexuales son indiscutibles opresores, la androginia puede llegar a ser otro patrón a seguir, otra forma de presión. Parece redundante insistir en las objeciones de los teóricos antifeministas para algunos de los cuales el nuevo ideal no es siquiera negociable pues, como comenta Warren citándolos, "la dicotomía entre los roles femenino y masculino, inherentes al carácter, *no pueden* alterarse porque están basados en características psicológicas naturales e inevitables entre hombres y mujeres"[24]. Hoy en día este tipo de aserción no pasa de ser una mera anécdota, pero es cierto que la androginia se puede convertir en un nuevo estereotipo normativo —como de hecho ha sucedido—, que acabe por establecer una opresión más fuerte y más perversa, disfrazada además de igualdad social y sexual.

La preocupación sobre el tema ha generado en los últimos años una amplia bibliografía. Trebilcot habla de dos tipos de androginia, la monoandroginia —todo ser humano debe ser andrógino— y la poliandroginia —permite que cada uno opte según sus deseos por ser andrógino, masculino o femenino— en principio más aceptable, pues, a diferencia de la primera, no cambia un estereotipo por otro. Kaplan presenta dos modelos al uso: el dualístico —modelo en el que conviven lo masculino y lo femenino separadamente— y el híbrido, más avanzado, —el que los modelos no coexisten sino que se integran[25].

Pero la cuestión candente —si es posible androginizarse en una sociedad masculina y si esa androginia no presupone la masculinización de la mujer—

[21] Butler, 1976, 34-5.
[22] Butler, 1976, 300.
[23] Trebilcot, 1982, 161-2.
[24] Warren, 1982, 174 ss.
[25] Kaplan, 1980, 9 ss.

sigue abierta. Parece que la androginia es, en mayor o menor medida, un proceso traumático porque "va en contra de las expectativas culturales de hombres y mujeres y hay siempre una tensión inherente entre la androginia y las normas que prevalecen"[26]. A simple vista el proceso se comporta como un fenómeno contracultural: determinadas actitudes o símbolos son reiconizados por una minoría con aspiraciones diferentes a las imperantes y acaban por ser reabsorbidos por la mayoría, por la norma, libres de los matices icónicos y las estrategias que poseían dentro del primer grupo. Tomando como punto de partida el fin de siglo y la relevancia de la androginización, incluso a nivel de representación visual, se ve cómo parte de una minoría contracultural —un grupo de artistas y escritores que se replantean lo burgués o unas mujeres que se replantean lo masculino— y se va reinsertando en los hábitos de la mayoría. Se asiste en ese momento a una androginización femenina —mujeres que se disfrazan de hombre y quieren entrar al mundo masculino— y otra masculina —hombres que ven el ideal como adolescente y por tanto andrógino. A partir de esas minorías, promotoras de una imagen subversiva, se produce un proceso paulatino de asimilación que termina en el ideal mujer de los años 20 —androginizada, masculinizada— que llega a todas las capas sociales sobre todo a través de la moda. Naturalmente el proceso es muy complejo pero sólo con recorrer las revistas de moda desde finales del XIX a los años 15-20 de este siglo se pueden ver los cambios.

Esas presiones que menciona Kaplan son evidentes, sobre todo en el caso de los hombres por el descrédito de lo femenino y porque el discurso vigente está asociado al poder y el poder es masculino. En este punto nacen algunas de las muchas contradicciones. En primer lugar se supone que la androginia es positiva porque flexibiliza la conducta humana, pero en experimentos realizados con hombres en proceso de androginización se ha notado un aumento de *stress* por los conflictos que genera el abandono de los *roles* del poder[27]. Estos traumas no aparecen, sin embargo, en las mujeres, ya que su androginización es siempre una masculinización, un adecuarse a los esquemas del poder perdiendo de ese modo la esencia femenina.

La defensa de lo femenino —la no masculinización de las mujeres— ha sido una de las piedras de toque de la mayoría de los planteamientos feministas en los últimos años que defienden no sólo los valores femeninos, sino la búsqueda de su auténtica expresión. Los estudios específicos en el campo de lo visual llevados a cabo hasta el momento fluctuan entre el estudio de lo temático[28], hasta problemas formales más complejos que se imbrican en la concepción femenina del espacio o las relaciones con el espectador[29].

Ese ámbito femenino aún por explotar o por descubrir es algo que preocupa a muchos artistas. El pintor Guillermo Pérez Villalta, en una conferencia celebrada en el museo del Prado[30], presentó una teoría en la que

[26] Kaplan, 1980, 10.

[27] Esta es la tesis planteada por Kaplan, Heilbrun y Sargent, entre otros.

[28] La posición temática es consciente a partir del compromiso político de los 70.

[29] Pollock, 1988.

[30] Dicha conferencia ha sido publicada en *Doce artistas de Vanguardia en el Museo del Prado,* 1990. El problema se volvió a discutir en un seminario de Tercer Ciclo. *Sujeto/Objeto* celebrado en el Dpto. de Arte III de la Universidad Complutense, dirigido por mí, en el que se habló

planteaba cómo el mundo del arte tal y como se entendía no era territorio de la mujer, que más bien se enraizaba con la magia, entendiendo ésta como una forma alternativa de expresión, un territorio inexplorado contrapuesto a aquél del que tradicionalmente se excluye a la mujer: el genio, que es prerrogativa masculina incluso en autores como Nietzsche, en apariencia positivos[31]. La propuesta de Villalta hablaba de la posibilidad de exploración de otras manifestaciones alternativas denotando un profundo respeto hacia el mundo de lo femenino —que para el pintor expresa un misterio rico en posibilidades. De hecho Pérez Villalta raramente incluye mujeres dentro de su iconografía, esencialmente masculina, y cuando aparecen son androginizadas y representantes de conceptos superiores —Justicia, Libertad...—, en cierto modo también posible de justificar a través del clasicismo del artista que tiende a concebir mujeres fuertes.

En todo caso, como nota Brannon, ya "hay mucha más gente 'andrógina' que no está confinada a los *roles* preasignados y puede mostrar gran competencia en los campos femeninos y masculinos"[32]. Numerosas mujeres dominan ya el lenguaje intelectual y algunos hombres el sentimental, pero la verdadera esencia del problema es otra. El feminismo muestra dentro de su mismo seno dos posiciones enfrentadas respecto a los territorios masculinos. Una tendencia quiere centrarse en la *diferencia* —históricamente no he podido hacer lo que los hombres han hecho pero no me preocupa entrar o no a un *peep show* porque muchas de las prerrogativas masculinas carecen de interés— y la otra tiende a ver esas prerrogativas como *restricciones* —quiero poder elegir si deseo o no entrar al *peep show*. Las cosas siguen desequilibradas porque, incluso en el nivel más banal, las mujeres han incorporado a su vestuario el pantalón y las faldas siguen siendo impopulares entre los hombres, para los cuales la liberación del estuche mágico del falo sigue representando un cierto grado de castracción simbólica, como el pelo cortado en el autorretrato de Frida Kahlo.

Pero incluso siendo necesario plantearse esos desequilibrios, la última pregunta que cabría hacer —más bien el punto de partida— es otra: si al decir que los hombres y las mujeres deben compensar sus características no estamos dando por hecho que hay algo definitorio de lo femenino y lo masculino o, dicho de forma más brutal, si no es una forma de aceptación de los estereotipos impuestos. Si al plantear ese encuentro a mitad del camino no estamos aceptando, al fin, que los hombres son racionales y las mujeres emotivas.

Si no deseamos aceptar los valores innatos impuestos tampoco podemos aceptar la combinación equilibrada de los mismos simplemente porque la base de la que partiríamos sería falsa.

del tema en una mesa redonda en la que participaron un psicoanalista lacaniano, dos sexólogas y el pintor. Agradezco a las personas su asistencia, así como a los estudiantes en el seminario sus aportaciones a la discusión, que clarificaron muchas de las ideas discutidas.

[31] Como era de esperar, esta aserción encendió graves criticas entre algunos asistentes, si bien el pintor se refería a lo femenino maniatado por los conceptos dominantes, que no había encontrado aún su propia vía de expresión obstaculizado por todos los preconceptos sociales en torno a lo masculino, el genio etc. Nietzsche ve los llamados hechos científicos sobre las mujeres como proyecciones del deseo masculino, ideales y esperanzas.

[32] Brannon, 1985, 302.

[illegible] prerrogativa masculina [illegible]

[illegible] también posible [illegible] mujer [illegible]

Aunque [illegible]

[illegible]

[illegible]

[illegible]

Segunda parte

Las estrategias representacionales

1

El beso estéril de Lesbia Brandon y Dorian Gray

Si *Dorian Gray* y *Lesbia Brandon* se hubieran conocido en la estación Victoria durante los años 20, tal vez hubieran encontrado *The Well of Loneliness* de Radclyffe Hall escondido en la bolsa de viaje. Los dos hubieran tenido más de setenta años, aunque Brandon los demostraría convertida en lesbiana militante, siguiendo la moda del momento, y Gray permanecería incólume al tiempo, acorde con el aspecto juvenil de esos felices/desgraciados 20. En última instancia, casi cincuenta años después, ambos serían perfectamente modernos; ambos podrían aún representar el espíritu de la segunda década de este siglo a través de sus indefiniciones ambiguas.

Si Lesbia no hubiera muerto años antes a manos de su autor y Dorian no se hubiera derretido ante el espejo, habrían podido ser los perfectos representantes del hombre antinatural que completaba a la mujer antinatural. En palabras de D. H. Lawrence, formarían parte de las mujeres de pecho plano y pelo rapado —sometidas a procesos químicos que desembocaban en un sexo indeterminado— y de los jovencitos blandos de sexo más indeterminado aún. Concordarían con esas imágenes andróginas que tan en voga estuvieron en los 20 y cuyos antecesores directos fueron los hermanos incestuosos de finales del XIX.

Es difícil determinar hasta qué punto los fenómenos asociados a las imágenes andróginas fin de siglo están directamente unidos a la homosexualidad de sus autores —aunque ejemplos como Swinburne o Wilde parecerían confirmarlo —o a otras múltiples causas también difíciles de demostrar. Es cierto que la homosexualidad masculina parece estar de moda durante esos años, despertando preocupación entre los científicos, que hacia mediados de los 80 incorporan al discurso el lesbianismo[1], pero ese tipo de imágenes parecen reflejar sobre todo la angustia por la búsqueda del ideal, que además ha dejado de ser evanescente como la Sophie de Novalis —puro espíritu— y se ha convertido en el dolor profundo del deseo posible, del

[1] Sobre todo se consagra con R. von Krafft-Ebing en *Psychopathia Sexualis,* aparecido en Stuttgart en 1886, que habla de la homosexualidad como de una enfermedad orgánica. Si bien sus orígenes siguen siendo oscuros, a menudo la implica con factores hereditarios y además define los tipos de lesbianismo.

deseo que eventualmente podría consumarse asesinando al deseo mismo. Muchos de los ambiguos fin de siglo son finalmente más hermafrodíticos que andróginos, como su misma iniciadora natural, la pérfida Maupin.

En cualquier caso el fin de siglo asiste a una proliferación literaria y visual de la ambigüedad en hombres y mujeres que se visten del *otro* con todo lo que esto conlleva —al referirse a *Orlando,* Woolf dice que no vestimos la ropa sino que la ropa nos viste. Pero la tesis que parece traslucirse en autores como Jullian, Dijkstra o el mismo Praz —la manifestación andrógina corresponde a una rebelión contra la burguesía y sus valores— es, al menos, incompleta ya que, si bien asociado al fenómeno existe siempre un cuestionarse ulterior del género, el replanteamiento es diferente si parte de un grupo femenino o masculino, variando profundamente el discurso y los resultados: la aproximación de los hombres entiende la androginia como eterna juventud y la de sus contemporáneas como estrategia representacional a partir de los símbolos del poder y contra el mismo.

Para explicar la aparición de estas representaciones tan profusas quizás resulte útil tener en cuenta —además de la rebelión contra lo burgués en la que se incluiría la homosexualidad— otros factores más específicos como la concepción tradicional de la mujer —sólo sexual—, el incipiente feminismo o incluso la pasión ocultista de personajes relacionados con el decadentismo, como Peladan, que pudieron aportar un tipo de acercamientos mágicos a las significaciones de lo andrógino.

Lo que no parece en absoluto casual es el incremento de estas imágenes en un momento en que se asiste a la institucionalización de la *Nueva Mujer,* independiente y emancipacionista. Esta recién estrenada categoría femenina y las muchas discusiones que despierta agudizan la ambivalencia de los decadentistas hacia lo *femenino,* que consolidan la *efebización* de los hombres y la de sus compañeras, igualadas a su propia imagen, esencialmente juvenil.

De ese modo se exorciza el tradicional doble temor hacia la mujer —símbolo de lo sexual— y hacia las arrugas —patentización del envejecimiento y la muerte posterior—; en los dos casos ligados a la pérdida de la Totalidad Primordial que acarrea otras numerosas pérdidas irreparables, entre ellas la eterna ambigüedad sexual y, consiguientemente, la eterna juventud. La idea tradicional de lo *femenino procreador* —"mulier tota in utero"— enfatiza la percepción de la mujer como causa última de esas pérdidas a través de las lecturas cristianas tradicionales que le achacan el pecado original y por tanto el decantarse sexualmente, procrearse y envejecer. La mujer se asocia además al concepto de placer —por lo menos lo *femenino prostituta*—, aunque no se trate de un placer pleno como el del Paraíso sino de un placer asociado al pecado, a lo natural y a la reproducción: un falso placer que es espejismo del deseo. El mantener a la mujer virgen, y sobre todo estéril, acaba por ser la garantía de perpetuación de la juventud del *dandy.* Desde Baudelaire se asiste de hecho a la consagración de un tipo de mujer infecunda, el rechazo de la sexualidad productiva, que convierte al discurso sobre la lesbiana en el discurso sobre el estereotipo[2] y sustituye a la "mulier

[2] Maio, 1979, 139.

tota in utero", emplazada en el territorio de lo natural y antítesis del dandismo. La mujer inserta en el discurso del placer por el placer personifica el desgarro y la amargura y se convierte en el punto de partida para la *mujer fatal,* asociada a las ideas prenietzscheanas que perciben el amor como la manifestación del odio irremediable entre lo sexos: la mujer perfecta es aquella que destroza cuando ama[3]. Muchos de los experimentos de lo *femenino devorador,* que tanto popularizaron las esfinges fin de siglo, no son sino la patentización de ese odio que bien podría leerse como temor relacionado con lo *femenino sexual/madre.*

De este modo, la segunda mitad del 800 asiste a la popularización del ideal efebizado, sobre todo a través de la tradición decadentista, que deriva desde ciertos puntos de vista de la androginia consagrada por los románticos alemanes, ligada a ideales masculinos y contrapuesta a las ideas saint-simonianas. Esta manifestación de lo andrógino como eterna juventud contrasta, libre de cualquier connotación política, con la androginia como estrategia representacional que trata de subvertir el orden establecido a través de una engañosa apropiación de símbolos y cuya más eficaz representante es la *Nueva Mujer.*

La forma masculina de la androginia deriva indirectamente de ideales clasicistas —retomados no sólo en el concepto sino en la forma—, muy polucionados por lo tanto del modelo homosexual que ve la recuperación del Todo perdido como un proceso solamente factible a través de una unión con el propio sexo. Cuando las normas sociales no aceptan esa unión homosexual, contrariamente a lo que sucedía en tiempos de Platón, el ideal masculino trata de adecuar lo femenino a su modelo.

Sin duda, entre los casos más obvios de la *obsession classique fin de siécle* están tres fotógrafos olvidados durante años debido a la censura y recuperados sobre todo a partir de los setenta de este siglo: los primos von Gloeden y von Pluschow y el americano Holland Day[4]. Aunque muchas de las obras de von Pluschow a menudo pasaron por trabajos del primo, más cotizado en el mercado del arte a partir de sus alusiones pornográficas, el estilo de ambos difiere notablemente. Von Pluschow es más elegante y más academicista, en fin más ligado a la estética de la mitad del siglo XIX, y es menos explícito, más conservador que von Gloeden, quien establece un tipo de juego erótico entre sus jóvenes del Sur de Italia y la cámara/espectador, que de alguna manera le presenta como el viejo prusiano en busca de emociones fuertes en el Mediterráneo. Sus efebos —nada evanescentes por cierto— son representados como objetos de un deseo tangible, del mismo modo que se suele representar el cuerpo de las mujeres en la iconografía tradicional y contrariamente al masculino en el que se resaltan valores heróicos o cotidianos, raramente sexuales[5]. Las manos de campesino anuncian

[3] Flint, 1980, 30.

[4] Para más información o bibliografía sobre el tema, *Taormina,* 1986 con un ensayo introductorio de Barthes, Jussim, 1981, y Russell, 1983.

[5] Para discusión sobre las representaciones del cuerpo masculino es esclarecedor el reciente libro de Cooper, 1990. Para una discusión sobre el tratamiento femenino del cuerpo masculino interesante la tesis sobre la obra *Philip Golub Reclining* (1981), de Sylvia Sleight, apuntada en Pollock y Parker, 1981, 124.

Wilhelm von Gloeden, de la serie *Taormina,* hacia 1900.

Postal, hacia 1920.

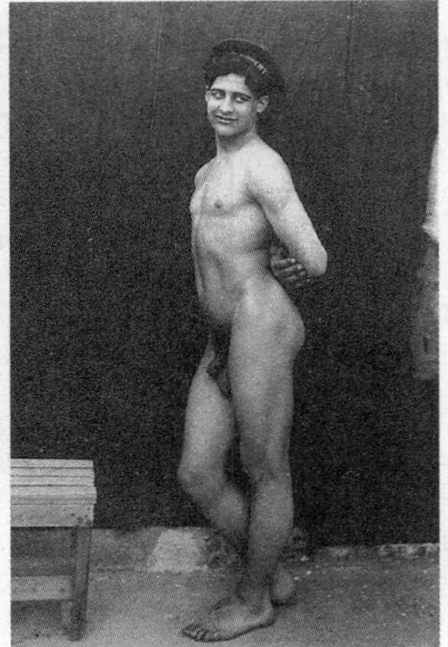

Wilhelm von Gloeden, de la serie *Taormina,* hacia 1900.

toda clase de placeres perversos que otras manos no podrían ofrecer, objetualizando de este modo no sólo los cuerpos de los muchachos sino esos cuerpos en tanto parte de la clase trabajadora, como suele hacer el artista con determinadas lecturas de la mujer[6].

Pero von Gloeden es mucho más que eso: a pesar del evidente descaro simboliza sobre todo la esencia fin de siglo. No es posible detenerse en el aspecto vulgar que observa Jussim al contraponerle a Holland Day[7] porque se trata sólo de una primera impresión, por muy obvia que parezca en series como *Taormina,* donde los provocativos jóvenes campesinos posan como personajes de una antigüedad confusa, en una lectura de signos clasicistas en la cual "las contradicciones son 'heterologías'", como comenta Barthes[8]. Yo diría más bien que el clasicismo es un pretexto lingüístico y sus jóvenes implican al espectador en una evidente estética homoerótica que retoma ciertas estrategias de la pornografía femenina —fondo adamasquinado y recargado, cojines, brazo apoyado perezosamente, cuerpo abandonado, cabeza ligeramente ladeada... Igual que en el *Querelle* de Fassbinder, el joven marinero de von Gloeden describe el deseo falsamente posible: ante esta sucesión de hermanos de rasgos casi idénticos, que ofrece a nuestra mirada curiosa y excitada frente a los placeres expertos que los ojos vivaces preludian, ante su descaro en suma, nos sentimos desarmados como el protagonista de *Muerte en Venecia.* Estos jóvenes acaban por ser la expresión de la mirada forzadamente andrógina —asexual— a partir de la cual el viejo mira al niño, resumen de todos los tormentos del deseo. Igual que en el caso de los incestuosos hermanos de *Querelle,* deseados como pasión implícita de formar parte de su incesto, al sucumbir la mirada al placer de los cuerpos se abandona a la muerte y no sólo porque "el hombre mata todo lo que quiere", como canturrea al inicio de la película la mujer en el bar, sino porque el deseo imposible hacia el niño conduce al viejo a la muerte igual que en la obra de Mann —de hecho el título no habla de deseo sino de muerte.

Menos obvio en sus representaciones es Holland Day, cuyos recuerdos no se detienen en el mundo clásico sino que se acercan a él a través de relecturas barrocas y renacentistas —*Los citaristas* o *La cabeza de chico con busto del dios Pan,* el beso frío de la estatua que representa el doble ideal frígido y fogoso, retomado por la publicidad de Fendi con una línea muy D'Annunziana en toda su campaña. La facilidad de Holland Day para ampliar el repertorio de lo fotografiado a mujeres confiere a algunos de sus retratos un aspecto más ambiguo y por tanto más invitante a todo tipo de conjeturas. Las niñas y los niños —que raramente muestran sus tímidos atributos masculinos— introducen al espectador en un mundo genuinamente andrógino en tanto sexualmente indiferenciado —el mundo de la pubertad—, a menudo fuente iconográfica asociada a la imaginería *gay,* como evidencia entre otras una fotografía anónima de adolescente de los años 60 de este siglo, en la que un pene incongruente y diminuto es el único indicio de la incipiente

[6] Sobre este tema concreto resultan esclarecedoras las aportaciones de Pollock a la obra de Van Gogh. Pollock, 1988.

[7] Jussim, 1981, 168, dice que Holland Day es siempre capaz de convertir a sus vulgares modelos en arte, contrariamente al Barón.

[8] *Taormina*, 1985, s. p.

Fred Holland Day,
On the Glade (hacia 1905).

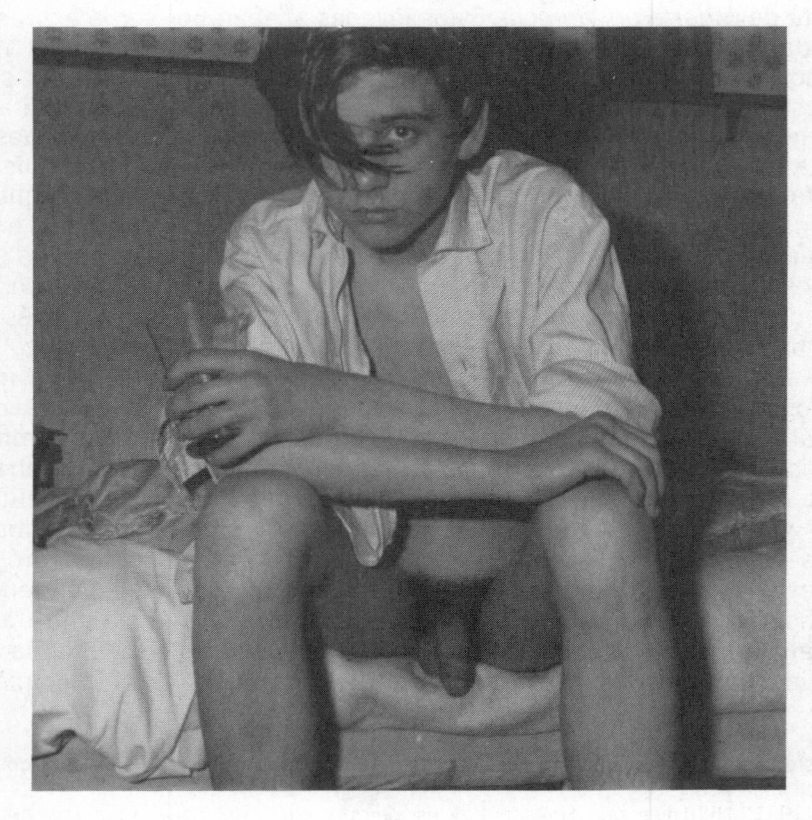

Sentado en la cama, fotografía anónima hacia 1960.

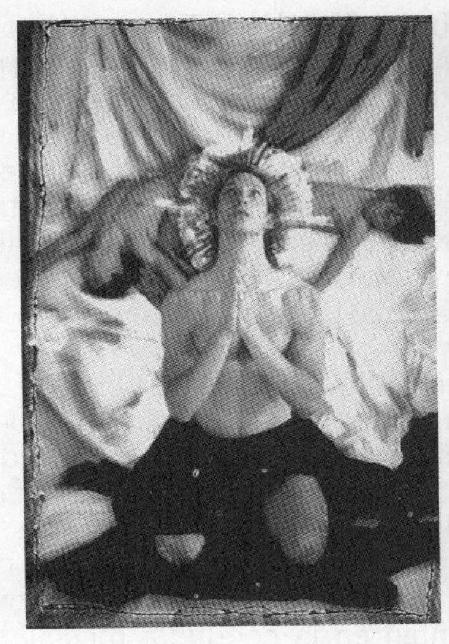

David LaChapelle, *"Everything is Possible to Who Believes", San Frances,* 1988 (Cortesía del artista).

Wilhelm von Gloeden, de la serie *Taormina,* hacia 1900.

masculinidad, o algunas imágenes religiosas del americano David LaChapelle. Esas relecturas a medio camino entre lo profano y lo sacro se concretan también en la pasión mística de base católica flagrante en un retrato de von Gloeden, donde el joven canonizado deja al descubierto un pecho inexistente que obliga a adivinar aquello que no es.

Las poluciones clasicistas no son por otro lado únicas de dichos fotógrafos que las asocian a las figuras masculinas. La misma Maupin, en boca de d'Alambert, representa el ideal de belleza adolescente en el que los dos sexos se confunden, con referentes explícitos a las bellezas indiferenciadas de Helena y Paris. Este tipo de ideal reconduce a los hermanos incestuosos, personajes unidos por lazos sutilísimos de parentesco[9], que son una constante en Swinburne, Burne-Jones, Moureau, Khnopff o Musil —Ulrich y Agathe de *El hombre sin atributos.*

El eterno debate entre el ideal etéreo del Norte y el ideal fogoso del Sur, implícito en la obra de los fotógrafos, es aplicable también —o sobre todo— al modelo femenino. Gautier lucha por definirse entre el tipo de mujer nórdica rubia y vulnerable —la *femme frêle* de raices románticas— y el de la mujer sexualmente agresiva que convive con ella a lo largo de la segunda mitad del siglo: la morena latina. Lurie[10] asocia este prototipo de mujer refinada, "mitad niña y mitad ángel", a un problema de clase, más concretamente a las mujeres de la aristocracia o la alta burguesía que vestían con trajes ligeros, asegurándose esos persistentes catarros de los que habla Jane Austen. El prototipo se inscribe en el ideal de mujer enferma, o incluso

[9] Praz, 1984, 215.
[10] Lurie, 1983, 216.

muerta, que tan en voga estuvo a lo largo del 800. Valle-Inclán explicita esas pasiones necrófilas en el amor a la *pobre Concha* después de muerta y las innumerables Ofelias de belleza mortuoria reflejan el ideal persistente que al morir joven preserva su belleza, igual que los mártires cristianos que mueren incólumes al dolor o al envejecimiento. Este ideal de belleza —que de no morir joven sería muy perecedera— tiene su más genuina representante en Elisabeth Siddal, adorada por Ruskin y musa frágil de los Pre-Rafaelitas, en cierto modo la antítesis de la intensa Jane Morris. Como Gaunt comenta "en su belleza triste, su silencio natural, su apatía frígida, era como una estatua a la que hubiera que calentar para revivir"[11].

Estos dos tipos de mujer, que también retoma d'Annunzio en *Il Piacere* —Elena Muti es la *femme fatal* y María Ferres la eterna virgen a pesar de haber sido madre[12]— conviven de forma natural durante el fin de siglo popularizándose incluso a través de la publicidad[13] que en ese momento pone de moda un tipo de belleza walkiriana y talliforme a través de los carteles que poco o nada tienen que ver con la mayoría de las mujeres reales. Este cambio de estética pone de manifiesto lo que Praz denomina la parábola de los sexos en el 800: un cambio en la conducta masculina, que pasa de sádica a masoquista hacia finales del siglo[14].

Dichos ideales femeninos —que toman formas de esfinges inmóviles, muertas, remotas, exóticas— son el típico producto por hombres y para hombres, incapaces de enfrentarse con mujeres *reales* (sexuales) y reduciéndolas a categoría de inalcanzable y perverso o conformándolas a lo heróico masculino, la fuerza combativa que la tradición atribuye al hombre. A través de esas tipologías es posible replantearse la verdadera esencia de los supuestos reformadores sexuales —entre los que se incluye a Baudelaire, Gautier y los artistas prerrafaelitas. Desde algunos puntos de vista, ellos contribuyen a la reforma al hacerse preguntas diferentes sobre ese incipiente mundo moderno; como dice Jullian, son la joven élite que se sumerge en el culto a la muerte y la melancolía y contrariamente a Zola no acepta sin pudor los hábitos burgueses[15]. Pero ésa es sólo una parte de la historia porque su supuesto replanteamiento de los roles se lleva a cabo desde una perspectiva estrictamente masculina, como afirma la discusión de Callen sobre los prerrafaelitas[16].

La tesis de Allen[17] conecta la institucionalización de este tipo de mujer, androginizada por las élites, con los primeros logros emancipacionistas. Los cambios de conducta en las *Nuevas Mujeres* enfatizarían no sólo el miedo masculino hacia lo femenino tradicional —al que contribuyen los tratados de los hombres—, sino hacia lo nuevo femenino, lo *femenino no codificado.* Este miedo podría tener implicaciones con la supuesta homosexualidad abierta o latente que llevaría a convertir a la mujer pérfida —madre castradora— en

[11] Gaunt, 1943, 40.
[12] Sobre los ideales fin de siglo Hinterhauser, 1980.
[13] Kingsbury, 1971-72, citado por Allen, 1983, 187.
[14] Praz, 1984, 154.
[15] Jullian, 1971, 25 ss. para discusión detallada.
[16] Sobre este tema Callen, 1979, 231 ss., y Allen, 1983, 186 ss. Sobre mujeres prerrafaelitas Marsh, 1987.
Allen, 1983, 191.

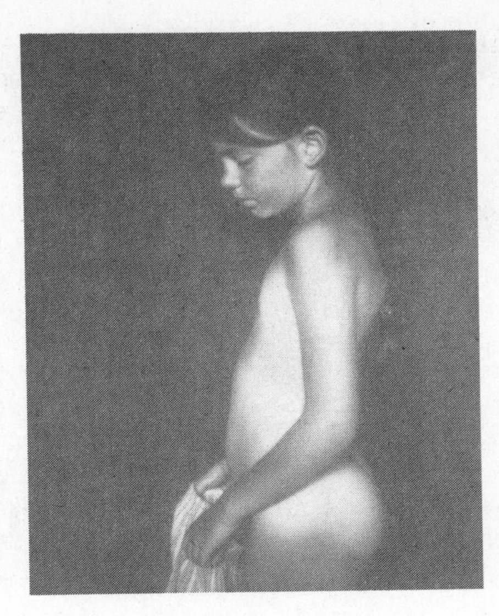

Graham Ovenden, *Elinore,* 1981.

una adolescente, cuya edad hace de ella un ideal a la vez inofensivo e imposible por lo que resulta cómodo sucumbir a él. Es curioso notar cómo la moda de las eternas niñas coincide con la institucionalización de la adolescencia entendida del modo en que se suele entender y aplicar hoy en día. Esta invención americana[18] —a pesar de la popularización del fenómeno durante el XVIII francés— tendrá además una gran influencia en la constitución de lo *femenino aniñado* de los años 20, que convierten a las vírgenes pérfidas en niñas maliciosas.

La niña perversa —pero niña al fin y al cabo— es en la historia de las personificaciones femeninas el ideal recurrente encarnado por Theda Bara, Garbo, Lolita de Navokof, las niñas tremendas de Lewis Carroll o Graham Ovenden y la misma Marilyn, especie de niña tontita crecida a destiempo. El ideal perdura en esencia durante el XX, enfatizado a través de los medios como conformadores de estereotipos, y cambia sólo en apariencia a partir de las modas de cada momento específico: de la Bara adolescente/maliciosilla se pasa a la Garbo asexual/pérfida y melancólica, floreciendo después de la postguerra otras niñas —la seductora/tonta Marilyn, la tonta/ñoña Day y la impúber Twiggy. Todas ellas representan la mujer a la que el hombre sucumbe tranquilo porque puede dominar a veces por joven a veces por ignorante —la joven Lolita no es inocente y sabe que es *sexy,* la crecida Marilyn es inocente y no sabe que es *sexy.* Cuando por exigencias de la moda el ideal se presenta como supersexual, tal es el caso de los años 50, se aniña a la mujer intelectualmente y, en los momentos en que es inequívocamente adolescente, también a nivel formal, se la convierte en el espejo de lo masculino, el reflejo narcisista de ese deseo que recupera la pureza de la cual tradicionalmente la mujer sexual está desposeida.

[18] Demos, 1973.

Elihu Vedder, *Superest invictus amor,* 1889, Colección de James Rican, en depósito en el Museo de Brooklyn.

Este específico ideal femenino está por tanto ligado al tradicional juego de parejas, hermanos/amantes, que suelen representarse muy ambiguos, siguiendo la moda de los jóvenes casi niños que reflejan Bouguereau, Vedder o Peel. En cualquier caso, los acercamientos andróginos desde lo masculino no pretenden subvertir los géneros o romper el equilibrio de los sexos —Peladan habla de almas atrapadas en un cuerpo del sexo contrario, como sucede con el afeminado pintor Nebo y su amor por la masculina Princesa. Citando a Canetti y *la metamorfosis de fuga lineal,* se van por tanto extendiendo "una serie de dobles metamorfosis (...) en unas parejas en las que cada parte se adapta a la otra[19]. Así las mujeres se masculinizan y los hombres se feminizan para mantener equilibrada la duplicidad fundamental, artificialmente construida, que resulta conveniente porque mantiene el *status quo* a nivel social y político.

Ese imperativo por mantener la pareja de opuestos, aunque los sexos se homologuen en su aspecto, se verifica en Khnopff, quien en *Arte o las caricias,* de 1896, representa su autorretrato junto al de la hermana. La cara del pintor —ideal de pureza— es casi idéntica a la de la joven que corona el cuerpo de una esfinge malvada —el monstruo carnívoro que destruye. Para el artista esta obra funciona, entre otras cosas, como metáfora de la atemporalidad del creador y su narcisismo —igual que en Cocteau— como se desprende de la tesis de Olander[20]. Dejando a un lado los deseos incestuosos

[19] Canetti, 1981, II, 338 ss.
[20] Olander, 1975, 188 ss.

y su extremado amor hacia Marguerite del que habla Legrand[21], y que se relaciona con el amor de Beardsley y la hermana[22], el artista convierte a Marguerite en representante del doble ideal femenino —virgen y *femme fatal*— al cual sólo puede enfrentarse un hombre con "un *rol* espiritualmente elevado, representado por el andrógino"[23].

El artista se situa así en el ámbito femenino a través de la hermana y sus rostros indefinidos hacen dudar quién es el hombre y quién la mujer, estrategia también presente en Burne-Jones, Moreau o las múltiples descripciones literarias —Usher y des Esseintes, que no sólo leen los mismos libros, y más concretamente a Swendeborg, sino que se parecen físicamente. El joven Khnopff tiene apariencia andrógina —cintura estrecha, hombros sensuales, pectorales marcados y enfatizados por la flor— pero interesa sobre todo cómo a través de su asexualidad el pintor mantiene una cierta "atemporalidad e inmortalidad", en otras palabras enfatiza la autosuficiencia del andrógino que resulta ser el perfecto compañero de la esfinge: ambos combinan cualidades de lo real y lo irreal, los dos son a un tiempo virginales y viriles. Sin embargo, los diferencia algo básico como apunta Olander: ambos son capaces de sentir deseo aunque el andrógino es autosuficiente y la esfinge no lo es. Si el andrógino correspondiera a los avances amorosos de la esfinge dejaría de ser asexual y se convertiría en mortal. A través de ese rechazo a decantarse sexualmente, el andrógino —reflejo del arte— se mantiene incólume a la temporalidad, a envejecer[24], preservando el equilibrio de las parejas.

Las *Nuevas Mujeres* de la primera generación no quieren mantener ese equilibrio —*ergo* el poder establecido— sino romperlo y ese acto es percibido como un atentado contra la norma que conlleva el ataque de todo tipo de doctrinas cientifistas y su influjo en las representaciones literarias y visuales. Ya no se trata de la figura complementaria —o matizadamente semejante—, inventada desde el deseo masculino sino algo que se halla fuera de su ámbito. Al encontrarse frente a la *Nueva Mujer* los contemporáneos tratan de oponerse a ella o de asimilarla a través de figuras paralelas aunque despolitizadas: esa despolitización repetida las acaba haciendo perfectamente controlables, accesibles al dominio masculino.

Y, sin embargo, los andróginos eternamente adolescentes y la *Nueva Mujer* frecuentemente comparten la ambigüedad moral que se achaca tanto a la mujer masculinizada —a la que se ve como ejemplo de una sociedad decadente o en crisis— y a ciertas representaciones masculinas fin de siglo cuyo origen se encuentra en determinadas relecturas de ciertos iconos del Renacimiento en los que también se identifica la ambigüedad sexual con la moral. Los más populares son sin lugar a dudas los personajes de Leonardo, sobre todo La Gioconda y San Juan, cuya "sonrisa perversa" es ampliamente comentada por Pater[25] y Peladan, quien en *L'Androgyne* asocia la ambigüedad sexual de San Juan a su ambigüedad moral.

[21] Legrand, 1972, 260.
[22] Estas aparecen mencionadas por Cooper, 1986, 80.
[23] Olander, 1975, 47.
[24] Olander, 1975, 51-52.
[25] Pater, 1971, 116.

Néstor, *La Venus de la Rosa,* 1913.

El caso de la androginia en Leonardo es especialmente curioso y no por las implicaciones que se suelen buscar en la sospechada homosexualidad del artista, algo que Saslow asocia más a sus "conflictos interiores"[26] que a su interés por la alquimia. Resulta elocuente el interés que el pintor despierta entre los intelectuales fin de siglo —incluso más obsesivamente que otros artistas que también cultivan la ambigüedad[27]— como "el auténtico poseedor de todas las cualidades de un visionario nunca apagadas por el mundo materialista"[28]. Su influencia en los artistas fue enorme, como se observa también en el español Nestor, que en *La Venus de la Rosa* retoma la tradición miguelangelesca en los cuerpos y la leonardesca en las facciones[29], siguiendo la moda de la época.

Leonardo sintetiza el ideal resucitado ("She is older than de rocks") que recogen los artistas finiseculares estableciendo un prototipo de belleza que no es especialmente hombre ni mujer. Así el ángel de virtud, hasta ese momento femenizante, pasa a ser un efebo[30], apoyado en el descrédito de lo femenino que se va popularizando hacia 1900 a través de doctrinas negativistas como las de Schopenhauer[31]. Ese descrédito puramente físico da lugar a una amplia iconografía de mujeres masculinizadas —que nada tienen que ver con las estrategias de la *Nueva Mujer—* la cual populariza un tipo femenino de

[26] Saslow, 1985, 85. Para discusión sobre el posible trauma sexual de Leonardo, más que homosexual asexual, Freud, 1973.

[27] Me refiero a Boticelli, Correggio, Donatello, Bronzino o el mismo Caravaggio a quien se acercan a ciertas fotos de Holland Day. Cooper, 1986, 8-18, ofrece algunos de estos ejemplos. Resulta sobre todo evidente la influencia de Botticelli en algunos Pre-rafaelitas como Burne-Jones, quien a pesar de retomar una musculatura típica de Miguel Angel, acaba haciendo un tipo de figuras "de sexo casi indeterminado y proporciones alargadas", muy en la línea de Sandro Botticelli (Miller, 1971, 18).

[28] Cooper, 1986, 8.

[29] *Simbolismo en Europa,* 1990, para discusión sobre el pintor.

[30] Dijkstra, 1986, 233.

[31] Este descrédito no se limita a lo psíquico sino que pasa a lo físico, como comenta Schopenhauer en *Sobre las mujeres:* "sólo un hombre cuyo intelecto está oscurecido por la sexualidad puede llamar bello sexo a un sexo bajo, de hombros estrechos, caderas anchas y mal corredor". Citado por Dijkstra, 1986, 199.

Hebert Draper, *Las puertas del Alba,* hacia 1900.

Simeon Solomon, *La novia y el amor triste,* 1865.

virgen heróica cuyo origen también se halla en algunas figuras de la literatura clásica: son las mujeres de Draper o las guerreras de Burne-Jones, complemento a la nueva belleza masculina, el "dios rubio"[32], ese "hombre más delicado, femenino y divino" que comenta *Le Decandent* en 1886[33].

La Gioconda es, por lo tanto, la hermana natural de San Juan y potencia la aparición de múltiples descripciones de personajes de distinto sexo pero casi idénticos que inundan la literatura y el arte del fin de siglo, los hermanos incestuosos a los que se aludía antes. El tema no es en absoluto nuevo sino que enraiza con las referencias al incesto en el mundo clásico y las sociedades primitivas, paralelas a la idea de preservar la raza o a una unión mística que explicita el incesto inicial entre el Cielo y la Tierra. Los hermanos simbolizan en esencia el deseo de unión, el fundirse con la otra parte del yo incompleto, a la vez que representan la sexualidad transgresora, la que socialmente no acepta las posibles consecuencias del amor físico —los hijos. Incluso cuando el incesto es consumado, como en el caso de los melómanos Hans Ulrich y Christiane de *El crepúsculo de los dioses* de Élémir Bourges, el deseo nunca apagado en el amor socialmente prohibido, arrastra al suicidio. El incesto, o más bien el deseo del incesto, representa la forma más dramática de las imposibilidades y, sobre todo, la fuerza más terrible del deseo de encontrar al *yo* en un *otro* próximo y semejante, el eterno deseo irrealizable del amor que se acrecenta por la trampa de la apariencia física.

En el caso de *Lesbia Brandon* Swinburne crea un triángulo entre los dos hermanos y la poetisa, una mujer que como la protagonista de *The Well Of Loneliness* recibe del padre, frustrado ante el nacimiento de una niña, una

[32] Dijkstra, 1986, 200.
[33] Cooper, 1986, 64.

educación masculina que acentúa sus tendencias y que al final la convierte en una especie de *outsider* social. El autor resalta la semejanza física y disimilitud psíquica entre Margaret y Herbert, fascinado como estaba por la sutil línea divisoria de la identidad sexual[34].

Al final Lesbia, que ama a Margaret, llama a Herbet *hermano* y reafirma así no sólo su comunión en la diferencia —desde lo social— sino la proyección del amor a la hermana en el hermano, quien a su vez ama en Lesbia la masculinidad —tradicionalmente ligada al sadismo—, que la identifica con Margaret a la que le unen deseos masoquistas y quien incongruentemente, aun siendo lo femenino, ha pasado a representar los valores masculinos de poder en esa parábola de los sexos que anuncia Praz. Lesbia y Herbert son, en el fondo, víctimas de una proyección amorosa hacia la sádica Margaret, la única genuinamente andrógina a pesar de su heterosexualidad —de hecho ella es la mujer con atributos masculinos de dominación.

La iconografía que se populariza entre los artistas del momento recoge todos los estereotipos literarios de hermanos incestuosos que pasarán al siglo XX, desprovistos en muchos casos de sus valores perversos. Ellos configuran, entre otras cosas, el amor sadomasoquista entre los sexos y el temor hacia la *Nueva Mujer* como hecho político, aunque no es ella la causa última de las desdichas masculinas. Una vez más lo masculino proyecta sus temores en algo que no es lo sexual, sino la metáfora de lo sexual, y que su misma politización hace fácilmente reducible. Lo *femenino esencial* oculto, indescifrable, separado en el drama de los sexos, permanece omnipresente en un ámbito límbico. Lo masculino proyecta sus terrores y sus imposibilidades hacia la divergencia sexual en un fenómeno que cree comprender pero que no es en el fondo sino proyección fácil de otros problemas imposibles siquiera de ser aprehendidos. La *Nueva Mujer,* que en apariencia separa a los sexos, es en realidad el primer intento femenino por unirlos en un territorio común.

Los hombres fin de siglo crean de este modo un tipo de belleza que es hermafrodita en esencia, como se comenta en *Le Decadent*[35], y los personajes masculinos y femeninos se funden hasta tal extremo que Praz dice refiriéndose a los de Moreau: "las figuras son ambiguas, casi no se distingue en el primer momento quien de los dos amantes es el hombre y quien la mujer"[36]. El ideal masculino —un adolescente y no una mujer— y el ideal femenino —una mujer efebizada— aparecen de forma inequívoca en las figuras de Burne-Jones, cuya mujer en *Perseo* es más fuerte y decidida que su acompañante, más heróica en su casi idéntica similitud. Pero no hay en ningún momento un intento real de replanteamiento de los géneros por parte de los artistas salvo, tal vez, en Beardsley, quien se acerca al problema en términos humorísticos a través de un hermafrodita en una burla de muchos otros valores[37].

[34] MacDonald Allen, 1975, 216 ss.

[35] Jullian, 1971, 46.

[36] Praz, 1984, 215.

[37] Monnetron, 1986, 213 ss. Esto también es aplicable a los prerrafaelitas en los que tiene mucha influencia la relectura de Pater del Renacimiento, así como las ideas de Ruskin que tanto determinaron el concepto de la belleza en este grupo de artistas. Para Cooper los andróginos de

Las mujeres masculinas de estos artistas recuperan el carácter heróico literario de lo femenino y nada tienen que ver con el fenómeno andrógino de la *Nueva Mujer*. Esta representa no sólo una verdadera revisión del género, sino el primer intento de acercamiento real al problema a través de los símbolos del poder. Pero incluso desde las perspectivas masculinas más avanzadas comete una serie de errores que nunca se perdonan: la *Nueva Mujer* ataca directamente las estructuras del poder con una toma de postura que no es literaria sino política, y en su mundo de mujeres no tienen cabida los hombres, ni siquiera los hermanos delicados. Las *Nuevas Mujeres* replantean lo masculino desde lo femenino y acaban por ser percibidas como la mala imitación que preserva el mundo estrictamente femenino vestida de hombre.

Solomon, el joven judío inglés, representan la ocasión de poder enfrentarse abiertamente a la homosexualidad, o dicho de otro modo, el tercer sexo, en esas relaciones ambiguas de trios que refleja patentemente en el *Amor triste,* en el que un hombre abraza a la mujer y a su amigo —los tres casi indistinguibles, borrados. Solomon, quien llevó las mismas descripciones de sus personajes a su vida privada protagonizó, como Wilde —por cierto también travestido— un terrible escándalo.

2

Nuevas significaciones del poder

Cuando en los primeros años del siglo XX las mujeres empezaban a incorporar a sus hábitos los cigarrillos y la ropa con tendencias masculinas de forma cada vez menos accidental, en su mayoría no veían ese acto como una toma de posición política. En los años 20 la moda masculinizante era algo aceptado, incluso *chic,* en cierto sentido porque la vida y la imagen de las mujeres había cambiado desde la mitad del 800, en que Mrs Bloomers impusiera una prenda que llevaba su nombre —los *bloomers* o especie de falda pantalón, *la falda partida*— y que dio lugar a toda clase de polémicas y escándalos particularmente asociados a la *Nueva Mujer,* un tipo de joven anglosajona económicamente independiente y con educación superior, muy popular en los años 80-90 del siglo pasado.

La educación fue sin duda a lo largo de los siglos XVIII y XIX una de las acusaciones más frecuentes contra las mujeres, bachilleras primero y posteriormente eruditas —ambos conceptos despectivos y sinónimos de masculinización. Como es obvio, educarse no significa masculinizarse, aunque educarse contribuye sin duda a desvelar las estrategias del poder. Tal vez por eso a lo largo de la historia las mujeres que han optado por entrar en el territorio de la cultura han sido observadas con recelo por traspasar un ámbito que ese mismo poder ha atribuido históricamente al hombre.

El tipo de mujer fuerte y travestida, que a través de sus ropas y su conducta se opone a la norma social, ha sido una constante moderada en la historia de la literatura —la Bradamente de Ariosto o la Britomart de Spencer son dos ejemplos clásicos—, aunque casi siempre como enredo jocoso o drama momentáneo para alcanzar finalmente el amor de un hombre[1]. Ese

[1] Tal vez Britomart de *Farie Queene* es la más interesante por representar una de las primeras apariciones en la literatura de la mujer como compañera o igual al hombre (Heilbrun, 1973, 27), pero no deja de ser un ejemplo aislado e ideal.

tipo de fenómenos, fáciles de aceptar por el poder masculino si describen ideales, no resultan tan digeribles cuando se verifican en la vida real, cuando se utilizan los signos masculinos para ejercer presiones diferentes y tambalear el poder, primero dentro de un grupo reducido, luego más amplio.

Las primeras en utilizar esa subversión simbólica fueron las *Nuevas Mujeres,* que se representaban como hombres porque se presentaban como hombres, o más bien, como *mujeres otras,* y la condescendencia con que lo masculino había aceptado los bellos ideales de hermanas incestuosas en el fin de siglo distaba mucho de la rigidez que a estas mujeres —finalmente a lo femenino— aplicaban los científicos del XIX, quienes a través de sus escritos contribuyeron a dramatizar las diferencias sexuales.

En la introducción al libro *La donna nelle scienze dell'uomo* se comenta: "La mujer y el hombre eran para nuestros científicos del siglo XIX los polos de una pareja de opuestos que influía en muchas otras, tan enraizadas en la cultura occidental que pueden parecer naturales y metahistóricos: activo/pasivo, razón/sentimiento, autoridad/piedad y otras parecidas. En el hecho de no haber siquiera presagiado la relatividad cultural de estas categorías está, según nuestra opinión, el fracaso más radical de los estudios científicos de la mujer"[2]. Sin duda, la literatura supuestamente cientifista que trata temas femeninos a lo largo del 800 es un cúmulo de malentendidos basados en la concepción de la sexualidad de la mujer como un enigma y su interior —puramente físico— como un misterio.

Por lo general, el siglo XIX veía a la mujer tan sólo como un ente físico, un "simple 'contenedor' a veces de hijos, a veces de un útero autoritario, de algún modo sobreestimado"[3]. Era ante todo madre y cuando los excesos, sexuales o de otra índole, la atrapaban, se transfiguraba en ese ser nervioso, en la histérica que tipifican los manuales de los hombres. Incluso médicos avanzados como Mantegazza, quien admitía la sexualidad en todo ser humano, creían que la obligación de preservar la *sexualidad sana* —más bien socialmente aceptada— era de las mujeres, poco inclinadas a "los líos inventados por la lascivia de los paladares cansados"[4].

De este modo, la sexualidad femenina, que mantuvo entretenidos a los hombres del 800 —construida como misterio desde lo masculino—, pasaba a ser categorizada de forma explícita hacia los años 70 del siglo pasado: existían dos tipos de mujeres, la fría y pasiva y la lasciva y sexual. Como es de suponer, la primera correspondía a la esposa y madre y la segunda a la prostituta o la amante, deshinibida en las artes amatorias, si bien no para su propio placer sino para el del hombre. Según algunos de los sexólogos más populares en el momento —Lombroso, Fehling, Gall, Brocca, Lawson...— la mujer *normal* era frígida o, al menos, su instinto sexual no estaba tan desarrollado como el del hombre[5]. Existe un proceso causa/efecto entre la

[2] *La donna nella scienze dell uomo,* 1986, 13.

[3] Ibid., 81.

[4] Ibid., 41.

[5] Smith-Rosenberg, 1985, y Jeffreys, 1985. Si la praxis desmentía la teoría, se manipulaban los instintos hasta que realidad y deseo coincidieran. Cuando las buenas palabras fracasaban se recurría a remedios que, desgraciadamente, aún resultan familiares: paños frios, mucho ejercicio, pocas lecturas y vida sana. Otras veces dichos remedios llegaban a ser más drásticos, como

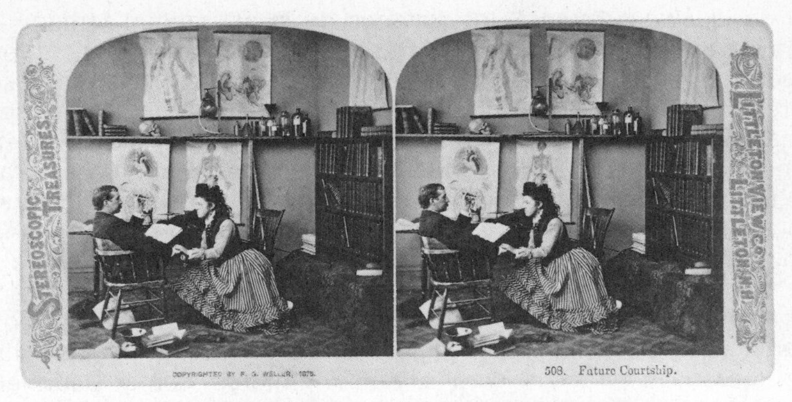

Fotografías de finales del XIX y principios del XX de la Colección Robert Dennis de la Biblioteca Pública de Nueva York (Cortesía de la New York Public Library).

aparición de la *Nueva mujer* y los tratados de la sexualidad femenina. Este tipo de mujer era para los conservadores un ser "antinatural, el síntoma de una sociedad enferma"[6] por repudiar el orden patriarcal y la vida casera de sus madres. La *Nueva Mujer* contravenía los territorios metahistóricos: al recibir una educación superior transgredía el área tradicionalmente asignada al hombre (la cultura) y abandonaba su territorio preasignado (la naturaleza)[7].

Desde un punto de vista iconográfico la respuesta no se hizo esperar. A lo largo de los últimos años del XIX y primeros del XX se fueron desarrollando dos formas muy diferenciadas en la representación de la *Nueva Mujer:* la *Nueva Mujer* por hombres y para hombres, esencialmente ridiculizada o lesbianizada, y *la Nueva Mujer* por mujeres. Las manifestaciones del primer grupo no se establecieron sólo en la baja cultura —postales humorísticas, dibujos satíricos— sino que fueron inspiración para algunos pintores como Daumier, que representa mujeres ridiculizadas, igual que en su momento lo hiciera el XVIII. La crítica social a la acicalada, también presente en Goya, puede adquirir así una nueva dimensión: si las bachilleras eran sometidas al mismo tipo de rechazo que las coquetas se podría concluir que a lo largo de los dos siglos los hombres sólo las deseaban madres.

Retomando modelos impuestos a lo largo de toda la Era Moderna, a la mujer ridícula por acicalada o por instruida, se suma otra hermana igualmente impopular, la que "lee mientras él lava". La iconografía reproduce ya entonces muchos de los esquemas que retoman frases aún hoy tristemente populares como "el mundo del revés", "la mujer encima", "la mujer hombruna". Son las mujeres que *llevan los pantalones* y que están encima, que dominan a su marido en pocas palabras, expresando a través del doble sentido un paralelo entre el dominio social y sexual —no hay que olvidar que durante el XIX la mujer, incluso heterosexual, que prefiere estar en la posición superior durante el acto sexual es acusada de masculina. En este juego de papeles cambiados —el mundo del revés— hay dos elementos primarios que patentizan la transformación: un tipo de mujer agresiva —también físicamente— vestida de forma masculina y un tipo de hombrecillo sometido que ha intercambiado su papel con el femenino[8].

demuestran los casos recopilados por Masson, 1985, 61, que recoge, entre otros, el desgarrador testimonio de una joven, practicante habitual del onanismo, consumida por la culpa y sometida a torturas físicas, así como un historial que discute la posibilidad de castración en mujeres histéricas.

[6] Masson, 1985, 246-47.

[7] La relación directa entre educación y enfermedad es un hecho que llama fuertemente la atención: se decía que la mujer dedicada al estudio podía sufrir desórdenes en los ciclos menstruales, acabaría por tener barba en la cara y terminaría siendo estéril. Parece extraño que esas relaciones ambiguas de amistad/amor no se relacionaran entonces abiertamente con fenómenos de lesbianismo, pero lo cierto es que en esos años 70 del XIX los médicos americanos "hablan de las desviaciones sexuales de las mujeres exclusivamente desde el punto de vista del rechazo de la maternidad, no de los hombres" (Masson, 1985, 446) y sólo existen algunos comentarios sobre el antinatural "sexo intermedio". Sobre los problemas del amor/amistad entre mujeres, Jeffreys, 1985, 103, y Smith-Rosenberg, 1985, 53 ss.

[8] Estos tipos son reproducidos en postales humorísticas, como las pertenecientes a una serie conservada en la Biblioteca Pública de Nueva York, la Colección Robert Dennis. Sin duda el elemento secundario más repetido es la bicicleta, a veces como parte integrante del atuendo de la Nueva Mujer, y otras incluso como tema central —de esta forma se presenta en *The Wheels*

Yo quisiera entender por qué todas las tareas que tradicionalmente se atribuyen a la mujer resultaban en sus maridos tan incómodas pero lo cierto es que esas transformaciones, incluso los inocentes juegos travestidos de la mujer, sembraron al menos sorpresa en algunos sectores, como demuestra la prolija literatura sobre el tema. Un curioso libro de Charles Reade publicado en 1911 se expresa en la línea típica de la época, entre otras cosas haciendo un recuento de androginizaciones femeninas en la historia[9] —desde actrices hasta monjes. Pero lo más interesante son sus anécdotas sobre ciertas mujeres que se travisten de hombre con "pelo cortado *á la militaire*"[10] para poder ganarse la vida. Inmediatamente surge la intriga y Nelly se enamora de Kate, convertida en Fred.

Este libro interesa sobre todo porque no se limita a la crítica del mundo contemporáneo y sus travestismos —para entonces ya impopulares— sino que enfatiza la necesidad que lleva a Kate a disfrazarse de hombre para poder encontrar trabajo —tal vez por eso el autor nunca deja de mostrar una cierta simpatía por ella. Pero es sólo una primera impresión, quién sabe si una debilidad pasajera, porque inmediatamente pasa a describir la evolución de las mujeres androginizadas con una ironía un tanto ácida: "Además, una época que ha inventado la falda dividida no debería ser muy estricta con la androginia. Los sexos, como las clases, tienen tendencia a fundirse y tomar las diferencias unos de otros. El pelo corto de Fred en 1860 era un ultraje y las ovejas de Shoeborough se lo dijeron. En 1883 las Kates que uno encuentra tienen el pelo rapado *á la militaire.* A la velocidad que progresa la androginia pronto habrá que ampliar las restricciones: las mujeres no pueden casarse con su abuela"[11].

Aparte de la iconografía de hombres y para hombres las mujeres también se representan o representan a sus amigas como *Nuevas Mujeres* durante esos años. Rosa Bonheur fue realmente una de las escasas excepciones del XIX y los frutos se manifestaron sobre todo en las primeras décadas del XX, momento en que ciertas mujeres que mantienen el compromiso político siguen leyendo los símbolos masculinos de manera transgresora.

El único elemento común a ambos acercamientos es la falda partida —los pantalones[12]— hoy incorporada a nuestro guardarropa sin ser conscientes de

of Two Centuries en la que aparecen una mujer con una rueca, la hacendosa del pasado, y otra con una bicicleta, la moderna del presente, quien en *Sew Your Own Bottons, I'm Going for a Ride* aparece en la puerta observada por un marido y un hijo abandonados. En *The New Women and the Old Man* una mujer mira desafiante a un hombre que lava, igual que en *And Me Old Chum is at the Door* o *Woman's Rights.* La agresividad sexual abiertamente expuesta es evidente en ejemplos como *Future Courtship* o *The Love Song of Today,* en los que las mujeres son las que cortejan e incluso cantan la serenata —en el segundo ejemplo la mujer tiene debajo del pie un animal salvaje al que está pisando la cabeza, mientras en otro enseña una pierna al lado de la cual aparece una botella de vino, retomando otra tradición presente en algunas aleluyas españolas que describen mujeres borrachas. Pero sin duda el ejemplo más brutal es *Holding the Reins,* en el que una mujer está subida encima de un hombre a cuatro patas del que tira con una cuerda metida en la boca. Llevar las riendas, típica expresión de dominio aplicada a los hombres, se convierte aquí en un acto físico, puramente literal.

[9] De este tema también se ocupa Thomson, 1974.

[10] Reade, 1911, 17.

[11] Reade, 1911, 211.

[12] De Diego, 1984 y 1987, para la cuestión de la moda especificamente española. Lurie

la transgresión ni de la trampa. De hecho, uno de los primeros signos de androginización externa del siglo XIX se detectó a nivel visual en el uso de la criticada prenda coincidiendo con las primeras tomas de postura feminista[13]. A pesar del arduo proceso de institucionalización, en las primeras décadas del XX las mujeres a la moda no eran conscientes de que ese disfraz del *otro* tenía ya por entonces una doble vertiente. Por una parte, disfrazarse de aquello que representaba el poder a través de la apropiación de su lenguaje y símbolos más patentes permitía separarse de la facción del propio grupo que aún permanecía presa de las costumbres tradicionales. Por la otra, disfrazarse del *otro* representaba en ese momento la vulgarización del controvertido proceso iniciado en las últimas décadas del siglo anterior, en los años 20 libres ya de cualquier cita a la metáfora política premeditada. Esas mujeres no sabían que su subversión despolitizada era ya entonces una forma de androginia inscrita en el ideal masculino que había imaginado a sus compañeras/hermanas incestuosas, travestidas desde el XIX, como jóvenes asexuadas aunque sexualmente posibles, si bien incapaces de sentir placer sino a través del reflejo inapagado del deseo masculino. Las mujeres con pantalones en los años 20 eran la vulgarización del bello hermafrodito que tenía como función última recrear a la mujer a la imagen y semejanza del hombre —arrasando y borrando la diferencia— para completarse y apagar los deseos en el propio reflejo.

El poder de los hombres, a través de una labor sistemática de desacreditación, ridiculización y amortiguación de los nuevos significados con que se vestían los símbolos que le habían pertenecido durante siglos, había querido acabar con un tipo de mujer audaz que, en cierta manera, su mismo deseo

(1983, 222) comenta cómo los corsés son el cambio superficial pues debajo seguía viviendo la mujer débil.

[13] En ese momento los trajes sastre de corte masculino ocultaban aún los famosos corsés que habían combatido los prerrafaelitas y que perdurarían en los años 20 en la búsqueda de un cuerpo adolescente —sin curvas—, en lugar de la tradicional cintura de avispa del XIX. Las mismas revistas que algunas décadas más tarde incluirían las modas masculizantes como epitome de la modernidad, criticaban entonces ásperamente a los recién llegados *bloomers,* cuya creadora había sido representada como el cliché de mujer fea y ridícula. Incluso en un país bastante periférico en lo que se refiere a cambios femeninos como España, donde por esos años el movimiento feminista era casi inexistente al contrario que en los países anglosajones, aparece un curioso testimonio que la pequeña batalla por algo en apariencia banal, el uso de los pantalones, desencadenó —suponemos que porque se intuyó como el cambio emblemático que en realiidad era. En una revista de moda madrileña aparecida en 1852, *El Correo,* se refleja la polémica que continuaba ya entrado el siglo XX en *La Moda elegante Ilustrada.* La primera se refiere al supuesto "traje natural" de la mujer al que se defiende ardorosamente: "El bloomerismo sigue dando materia de serias y ridículas discusiones. Las reformadoras predican sin descanso la cruzada contra las faldas, y continuan la obra de la emancipación femenina, sin dárseles un ardite de las burlas, chistes, sátiras y epigramas de que son objeto. Ultimamente una tal señora, lady W..., alistada a la nueva secta, ha reunido en Londres un *meeting...* Pero mientras las adeptas del pantalón se esfuerzan por sublevar a su sexo contra la tiranía de las faldas, una conservadora Miss Broughman se declara contenta y satisfecha con ellas... En cuanto a nosotras no ocultaremos que aunque amigas del progreso indefinido... nuestras simpatias están a favor del partido conservador. Y valga la verdad, señoras, ¿qué motivo hay para renunciar a nuestro traje natural?" (núm. 5, 1852, 77-78). Más de medio siglo después la discusión continuaba en los siguientes términos, dejando claro que el dilema seguía sin resolver y viendo aún el uso del pantalón como una clara amenaza, reflejo de otros posibles cambios para entonces aproximadamente institucionalizados en muchos paises: "Como prototipo de excentricidad y muestra de los

había inventado en figuras como Maupin. De este modo, el poder masculino, escondido detrás de sus tratados cientifistas, había acusado a la *Nueva Mujer,* y lo que representaba, de masculinizada en los 70, de lesbiana en los 90 y por último de "chica fácil" en los 30-40 de este siglo. Ese poder había deseado y aceptado un supuesto ideal de *Nueva Mujer* creado desde sus estructuras, idealizado y libre de toda lucha política —las mujeres hermafrodíticas—, pero al enfrentarse con la relectura de sus propios símbolos desde una óptica femenina había vuelto a percibirla como reflejo del miedo ancestral hacia la diferencia —lo desconocido— que curiosamente habían desarrollado y potenciado esos mismos tratados: la idea de lo femenino como misterio. A través de los trucos lingüísticos del poder, cristalizados en escritos de una emergente psicología sexual, se acababa por asimilar algo que había nacido en contra del poder. De este modo en los 30 muchas mujeres fumaban y se vestían con los famosos *pijamas* pero sus logros políticos habían sido manipulados lingüísticamente y se presentaban como aparentes.

Y sin embargo, aunque los logros acabaron por funcionar como apoyo del poder y no en contra del mismo, las primeras feministas de los años 80-90 del siglo XIX presentaban una forma alternativa de androginia, una estrategia representacional contra el poder a partir de la relectura y apropiación de los símbolos mismos del poder[14], e iniciaban una tradición que se iría desarrollando en el XX a pesar de la mayoritaria despolitización y vulgarización del fenómeno. Los años 30 asistían de hecho al final de lo político del movimiento y preconizaban la desacreditación de la primera generación de *Nuevas Mujeres.* No obstante, como suele suceder en todo proceso revolucionario, cada paso al frente es un eslabón ganado y esa mayoría de mujeres a la moda que adoptaban lo superficial del movimiento, resultaban también beneficiarias de las primeras trasgresiones que habían puesto de manifiesto, sobre todo, las contradicciones del discurso. A través de su vulgarización, la androginia como estrategia representacional —con los vaivenes consiguientes en la predominancia de las imágenes andróginas y *supersexuales*[15] —acaba por ser uno de los distintivos de la sociedad actual homogeneizada desde el poder —por tanto masculinizada. Tal hecho parecería probar que la transgresión no funcionó globalmente, aunque el problema no tiene su origen sólo en los símbolos de partida sino en una falta de logros reales en lo social y lo político, como sugiere la tesis de Smith-Rosenberg.

En todo caso y a pesar de que el proceso de vulgarización haya dado como resultado una falsa androginia que se limita a una masculinización

falsos derroteros por los que a veces se despeña la moda, enloquecida por el afán de notoriedad, voy a describiros, no de modo alguno a aconsejaros, una disposición que he visto... Imaginad una falda cuyo cinturón recuerda exactamente el de un pantalón de hombre... ¿Es que nos hemos empeñado en copiar el traje masculino? Fracasó el ridículo falda-pantalón, y se busca de otra manera, y, por cierto, bien desagradable, de acercar nuestro modo de vestir al de los hombres. Se dirá que somos mujeres *hombrunas.* Y, tal vez, la palabra podría adoptarse en todos los terrenos para distinguir el feminismo sensato, que aspira a que la mujer disfrute de derechos legítimos que hoy la sociedad le niega o restringe, y ese otro feminismo que quiere sacarnos violentamente del hogar y lanzarnos en lucha a la plaza pública" (núm. 16, 1912, 182).

[14] Sobre la apropiación de los símbolos masculinos, Smith-Rosenberg, 1985, 125-96 y 246.

[15] Se llamarán así las imágenes que enfatizan lo que culturalmente se entiende como masculino o femenino.

generalizada, las primeras manifestaciones se siguen percibiendo como transgresión por dos motivos esenciales. En primer lugar, la primera generación de *Nuevas Mujeres* se plantea el problema básico —lo puramente sexual—, la facultad de elegir o no la actividad sexual y la maternidad o de vivir en un mundo sin hombres y sin hijos. En segundo lugar, esas *Nuevas Mujeres* adoptan los símbolos externos de la masculinidad y los logran investir de nuevos significados femeninos al convertir el lenguaje sexual en una metáfora política, concepto que Smith-Rosenberg amplía en estos términos: "Observamos este tipo de fenómeno, cuando en los momentos de dura confrontación, grupos opuestos políticamente adoptan metáforas e imágenes idénticas. (...) Naturalmente la *Nueva Mujer* no se limitó a asumir el vocabulario. Sino que invistió las imágenes masculinas con una intención política femenina. De esta forma utilizaba los mitos masculinos para repudiar el poder masculino —para poner el mundo boca abajo"[16]. Esa metáfora de partida acaba por diluirse en las generaciones posteriores pero la esencia del intento permanece como poética de la subversión, aun tomando ésta a veces formas consensuadas de lo culturalmente definido como femenino. Cuando en los años 80 de este siglo Madonna se *representa* como la nueva heroina postfeminista, se *disfraza de mujer* en un intento de subvertir el ideal impuesto y establecido del momento —mujeres con hábitos y aspectos androginizados.

Estas estrategias de subversión están asociadas al comportamiento de los fenómenos contraculturales, trasgresiones a la cultura dominante que parten de una minoría y que acaban por establecerse en los hábitos de la mayoría. Los símbolos no tienen ya las significaciones que tenían en el grupo dominante de partida pero tampoco se corresponden a las que habían adoptado en el grupo contracultural, sino que sufren un proceso de resemantización dando como resultado un tercer significado. Los imperdibles en la cultura dominante sirven para sujetar una falda; en la cultura *punk* se convierten en adornos con referencias sadomasoquistas —en la línea de MacLaren que pone de moda una ropa de cuero y de goma— para ser reasimilados por la cultura dominante —ya institucionalizados— en forma de imperdible/pendiente que no tiene una utilidad práctica si bien tampoco está conscientemente investido de connotaciones sadomasoquistas. Lo mismo sucede en el caso de las *Nuevas Mujeres:* se apropian de un símbolo masculino, por ejemplo el pantalón —el poder—, que en ellas pasa a tener un significado diferente —el antipoder— y que se reintegra a la mayoría de las mujeres con una tercera significación —una cierta oposición *chic* a lo tradicional sin implicaciones políticas.

A través de la apropiación de los símbolos masculinos la *Nueva Mujer* se cuestionaba las relaciones de género, y por tanto la distribución del poder, a través de esa desemantización y al ser denominada como "antinatural" por sus contemporáneos se reafirmaba lo "natural del orden burgués"[17]. Es un proceso parecido al que expone Barthes en *Mitologías:* cada fragmento de la vida cotidiana depende de la representación que la burguesía tiene y nos hace tener de las relaciones entre el hombre y el mundo. El unir lo "natural" al orden burgués que, además está regido por reglas patriarcales, puede

[16] Smith-Rosenberg, 1985, 246.
[17] Smith-Rosenberg, 1985, 246.

Fotografía de finales del XIX y principios del XX de la Colección Robert Dennis de la Biblioteca Pública de Nueva York (Cortesía de la New York Public Library).

Danita Simpson, *Sara y Sally,* (s.a.).

contribuir a hacer de la androginia de la *Nueva Mujer* un tipo de fenómeno contracultural[18].

Jan Zita Grover[19] retoma la cuestión de símbolos idénticos empleados como metáforas diferentes centrándose en un caso contracultural concreto —la iconografía lesbiana. Su propuesta se centra en el cambio que los símbolos masculinos sufren dentro de esta iconografía, aunque se sigan leyendo de idéntico modo desde la mirada dominante, incapaz de percibir las sutilezas de lo que está fuera de ella o deseosa de ignorarlas.

[18] Por otro lado, una característica de los movimientos contraculturales, suele ser la androginización de las personas dentro de ese determinado grupo —una de las pocas excepciones son los Beat— que en su afán por replantearse todo lo institucional no se clasifican en función del género sino en contraposición al grupo de poder a través de una apariencia tribal compartida frente al sector dominante, Lurie, 1923, 181, y Hebdige, 1988.

[19] Grover, 1989, 163-96.

En la cultura dominante, para la mirada dominante, las lesbianas son representadas siguiendo el patrón cultural de lesbiana que se va implantando en los últimos años del siglo pasado: dos mujeres en una clara actividad sexual que se corresponden a la mirada masculina y se ofrecen al espectador siguiendo el patrón de la descarada en primer término y actitud masculina (activa) y la tímida, en segundo término y con actitud femenina (pasiva). Desde que el concepto lesbiana se ha integrado a nuestro lenguaje —en las últimas décadas del XIX y primeras del XX— han sido presentadas de ese modo, indicando más los deseos masculinos que los placeres propios. Lo *femenino lesbiana* vuelve a construirse a partir de otra masculinidad que no concibe el placer sin la presencia del falo —el hombre, su pene, no está pero el falo, su proyección sigue presente en la lesbiana masculina[20]. Para la mirada dominante sólo ellas son lesbianas: ante el anuncio de una bella señorita que anuncia un deportivo a nadie se le ocurriría, como comenta Jan Zita Grover, que *además* podría ser lesbiana. Ante esa imagen nadie pensaría que la bella modelo mantiene relaciones sexuales con otras bellas modelos porque no se la presenta como lo *femenino lesbiana.*

Así es como ve la mirada dominante a las lesbianas. La otra posibilidad es cómo se miran las lesbianas a sí mismas. Danita Simpson las presenta como representaría a cualquier otra persona perteneciente a su grupo social un domingo en casa, pero, en última instancia, se podría decir que también ha recurrido a estereotipos sutilísimos que nos dan pistas sobre la vida de *Sara y Sally.* En un primer orden estas mujeres se leen como cualquier persona de su grupo social un domingo en casa: algo en esta imagen nos cuenta el segmento vital de dos personas de una determinada clase, un domingo en casa —clase media, blancas, gustos sencillos, viven en el campo, intelectuales. En un segundo orden, su forma de vestir, de actuar, de presentarse en suma puede inducirnos a pensar que *además* son lesbianas. En cualquier caso, no son *sólo* y en primer lugar lesbianas. Ellas son, ante todo, dos personas pertenecientes a un grupo social determinado.

Pero el problema esencial, como en la mayoría de las representaciones de lesbianas por lesbianas —es la aparente contradicción al retomar los símbolos de aquello que, en principio, se aborrece, como comenta Grover— el hombre. Se podría argumentar, no obstante recurriendo a un caso análogo al de los imperdibles para los *punks,* que vestirse de hombre tiene un significado en la cultura dominante y cambia completamente fuera de dicha cultura. Vestirse de hombre no significa lo mismo en el caso de un hombre, de una *Nueva Mujer* o de una lesbiana[21].

Las preguntas que genera esa apropiación de los símbolos masculinos subvertidos son muchas. En primer lugar, y como apunta Smith-Rosenberg,

[20] De Diego, 1990.

[21] ¿Cómo se pueden, por tanto, re-presentar esas lesbianas sin caer en las convenciones masculinas? ¿Defendiendo lo femenino a ultranza? Pero, ¿qué es lo femenino? Tal vez la única alternativa posible sea desiconificar a través de un proceso que implique a la mirada dominante a través de sus estrategias más establecidas y, una vez que esté allí, hacer que encuentre con algo que no esperaba. Esa es básicamente la aproximación de Molnar, quien se fotografia con su amiga en una actitud abiertamente sexual —supuestamente la esperada por la mirada dominante— en anuncios de publicidad familiares o en series televisivas clásicas; para más discusión, vide Grover, 1989, 185 ss.

es una de las pocas veces en que la mujer adopta un lenguaje masculino con intenciones políticas y simbólicas propias[22], y dado que en principio el lenguaje refleja las vicisitudes sociales, un lenguaje masculino no debería ser el vehículo de expresión de una problemática femenina. Del mismo modo sería posible plantear si las mujeres no tenían fuerza suficiente para inventar su propio lenguaje y si esa apropiación de símbolos masculinos no fue el primer desliz y uno de los posibles detonantes que contribuyeron al fracaso del fenómeno. Ese tirar por la calle de en medio y "ponerse los pantalones" se podría ver como causa de la derrota: no crear un nuevo código de símbolos femeninos de poder o establecer como poder los existentes en la construcción cultural de lo femenino.

Estos fragmentos son válidos desde la perspectiva actual, después de haber analizado cómo fue ese discurso y cuáles sus posibles fallos. Las mujeres —los grupos que están fuera de ámbito del poder— han caído repetidamente en la trampa de las reivindicaciones equivocadas. No es lo mismo pedir trabajo —las mujeres han trabajado siempre— que pedir retribuciones justas; no es lo mismo pedir igualdad con los hombres que luchar por los derechos de las mujeres[23]. Desde la perspectiva neofeminista es posible constatar que esos símbolos prestados fueron incapaces de delinear un discurso femenino y a partir de los 70 de este siglo se vuelve la mirada hacia la diferencia, aquellas cosas que culturalmente pertenecen a la mujer y que por lo tanto están desacreditadas socialmente. Pero temo que la inoperancia de los símbolos del discurso del *otro* para los fines femeninos —suponiendo que fuera esa la causa real del fracaso— se puede ver sólo a la luz de las consecuencias. En ese momento, adoptar el discurso al uso no hubiera supuesto una transgresión. De hecho, la primera generación de *Nuevas Mujeres* se cuestionó la maternidad porque en ese momento no era un derecho —como puede serlo desde una perspectiva neofeminista— sino una imposición irreversible. Entonces el discurso de la diferencia —ahora potenciado— hubiera sido una postura suicida, la aquiescencia frente a las reglas del juego. En los años 90 de este siglo es posible replantearse el discurso andrógino —demostradamente masculino ya entonces— en su conjunto y constatar cómo ambos posicionamientos acaban por beneficiar al poder: tener hijos retoma el discurso tradicional de lo femenino animado desde el poder y no tenerlos acaba por ser una falsa opción revolucionaria, ya que a fin de cuentas crea un nuevo tipo de mujer productiva y libre que desde un ángulo ha *elegido* pero desde otro ha *renunciado.*

De hecho, en el momento actual en que el feminismo se replantea cuántas parcelas de lo femenino se han ido perdiendo a lo largo de años de masculinización —ligado al problema de las imposibilidades andróginas reales en la sociedad patriarcal—; en un momento en que se relee la eficacia del feminismo igualitarista a ultranza —hábitos incluidos— e, incluso, su fracaso al no haber establecido patrones de poder estrictamente femeninos;

[22] Smith-Rosenberg, 1985, 246.

[23] Esta es la idea que apunta Smith-Rosenberg (1985, 285) en su discusión sobre los cambios en la evolución de la Nueva Mujer: ¿las primeras utilizan metáforas masculinas porque quieren igualdad con los hombres y las segundas se expresan a través de símbolos femeninos porque luchan por los derechos de las mujeres?

en un momento en que se replantea el poder globalmente, vuelve a surgir una vieja polémica sobre las complejas relaciones que las mujeres tenemos con el poder, no sólo al definir nuestro *propio* poder a partir de símbolos prestados del poder del *otro,* sino el replanteamiento general del *poder* como concepto; si es bueno o no ser poderoso, si las mujeres queremos o no ser poderosas o si queremos o no reproducir los patrones del poder o, peor aún, sustituir un poder con otro.

Ya se ha comentado cómo hombres y mujeres viven la metamorfosis en el *otro* de forma radicalmente distinta. En la base subyace el *kata* —la síntesis de lo elemental sobresaliente— pero esa síntesis se lleva a cabo de manera muy diferente según el género. La característica que sobresale a primera vista es que una mujer, al disfrazarse de hombre, se disfraza de un hombre cualquiera, por lo general no tipifica. Si un hombre se viste de mujer, por el contrario, adopta un tipo determinado (madre, *sexy,* tímida...). Una primera respuesta podría encontrarse en aspectos sociales y educacionales: lo masculino se representa en apariencia de forma mucho más monolítica que lo femenino por las implicaciones que tiene con el poder. Los hombres son héroes y los héroes se pueden someter a menos tipificaciones, tal vez porque el modelo imperante ha sido desde siempre masculino y los hombres han sido incapaces de tipificarse por pertenecer al grupo que dictaba las reglas. Nadie considera al *suegro* como una categoría con características definidas mientras la palabra "suegra" tiene unas implicaciones peyorativas idénticas para todos. Si la cultura contemporánea aparenta jugar con lo masculino múltiple es porque basa sus estrategias en una trampa igualitarista que se presenta como revisión de lo construido culturalmente.

Pero, aunque la suegra es desagradable, también es poderosa y por eso se la percibe a un tiempo como antipática y como prototipo a imitar. Si disfrazarse de mujer implica una pérdida de poder o, al menos, un estado de ansiedad asociado a esa pérdida de poder, al vestirse de mujer el hombre tratará de no perder sus atribuciones y le resultará más ventajoso transformarse en una mujer poderosa o bien ridiculizar lo femenino con el fin de crear un personaje inofensivo, sin ninguna referencia a la masculinidad —lo poderoso. Estas consideraciones son evidentes en los transformistas homosexuales que tienden a tomar como modelo mujeres con prestigio social —artistas profesionales, por ejemplo— en lugar de mujeres cualquiera; se sienten más atraidos hacia las imágenes de las mujeres poderosas o malvadas *camp,* en la línea de Mae West quien, en el fondo, reproduce a través de su disfraz de mujer descarada un tipo de alusión sexual directa muy en la línea de lo que habitualmente se considera el lenguaje masculino[24]. Los transformistas heterosexuales prefieren a menudo retomar tipos corrientes y casi siempre ridiculizados, tal vez incapaces de afrontar una actitud y lenguaje descarados en boca de una mujer, como sucedía con las jóvenes japonesas que no podían gritar a un hombre por la educación recibida.

El problema es complejo porque está ligado a la forma de entender el mundo. En la mayoría de las sociedades el poder se percibe como algo positivo que hay que conseguir y la falta de poder como algo negativo. El po-

[24] Bell-Mettereau, 1985, 5.

der se suele además asociar a lo sexual; se habla incluso de la erótica del poder, las cualidades sexuales de las personas poderosas en virtud de ese poder. Un rey —un jefe— es sexual porque es poderoso, porque le atribuimos cualidades específicas que no sólo se manifiestan a través de sus ropas o su coche, sino a través de su representatividad. Las personas pobres, los parias, no son percibidos como sexuales: son andróginas porque no son poderosas. Como explica Balandier "el poder, en sus formas tradicionales, es impensable sin referencia a la sexualidad"[25]. Poder y potencia sexual son dos conceptos paralelos en la mayoría de las sociedades primitivas que establecen nexos entre el poder y la capitalización de las esposas. El hombre poderoso tiene más esposas y así el poder se asocia a la sexualidad —tiene muchas esposas luego es poderoso sexualmente. De ahí las confusiones que nacen en torno a las mujeres poderosas cuando reproducen los esquemas masculinos: la capitalización de los maridos (amantes) también se asocia el poder. Este es el gran peligro que corren las mujeres que han alcanzado el poder: actuar a través de estereotipos masculinos y reproducir esos esquemas, ya que ponerse de parte del débil podría implicar parecer uno de ellos.

Josefowitz se plantea las formas diferentes de percibir ese poder y las formas de desarrollarlo desde las posiciones femenina y masculina[26]. El poder se percibe desde la primera de un modo muy ambivalente, aunque normalmente es percibido como negativo, en parte porque se trata del poder que oprime —Colette Dowling habla del complejo de Cenicienta— y en parte por no poderlo alcanzar, comenta Josefowitz, aunque sería más preciso decir que se percibe negativamente porque presupone una mirada única y jerarquizada del mundo. La autora apunta dos formas básicas de poder: el que los otros tienen sobre el individuo y el que el individuo tiene sobre los otros —a pesar de existir con frecuencia formas de poder que son simples transferencias, atribuciones de poder a personas que en realidad no lo tienen. Existen también unos patrones que definen el poder —parecer poderoso, sentirse poderoso y actuar como poderoso— y las mujeres y las minorías se esfuerzan por reproducirlos aunque saben que el esfuerzo no garantiza el éxito.

Como se suele comentar, al disfrazarse de mujer los hombres eligen mujeres poderosas —que parecen poderosas, que se sienten poderosas y que actuan como tales—, porque su educación no les permite aceptar que una mujer sea mejor ya que siempre oyen la voz del padre en *off* diciendo "qué vergüenza, te ha ganado la chica". Por eso, aquéllos que admiten ser ganados por la chica exigen que sea una chica poderosa y sobre todo, sexualmente agresiva, como ellos deben ser o como ellos no consiguen ser. Como el concepto de poder exige, en pocas palabras. Sólo admiten ser vencidos por un tipo de mujer poderosa, sexualmente potente —la madre castradora, la transferencia de su falo. Por al contrario, al disfrazarse las mujeres eligen a Charlot, prototipo del hombre perdedor, porque se identifican con su ductilidad o simplemente porque Charlot se replantea el concepto de poder y lo contrapone a algo que el público lee como derrota cómica pero que en el fondo es vulnerabilidad (sólo a través de la vulnerabilidad es posible replan-

[25] Balandier, 1985, 71.
[26] Josefowitz, 1985.

Alice Austin, *Violet Ward en el porche con una amiga,* finales del XIX.

Publicidad de la revista *Bazaar* aparecida en la prensa americana a lo largo de 1988.

tearse lo establecido). La androginización de los hombres difiere así ostensiblemente de la de las mujeres sobre todo porque el vestirse de hombre, de un hombre cualquiera, lleva implícita la idea de poder. Todos los hombres son poderosos por el mero hecho de ser hombres, sólo algunas —pocas— mujeres lo son.

Estas consideraciones podrían explicar en parte la apropiación de los símbolos masculinos pero, sobre todo, la ambivalencia femenina hacia los atributos del héroe que son en primer lugar externos aunque su trascendencia sea mucho más profunda. El bigote, símbolo de la virilidad, se convierte en atributo definitorio de lo masculino y por lo tanto del poder. Esa podría ser una explicación complementaria a la definición de lo masculino a partir de una representación en principio nada masculina —Charlot. El mismo se representa como hombre sólo a través de un falso bigote; su fragilidad, incluso física, y su vulnerabilidad pertenecen al mundo femenino.

Alice Austen fotografía a tres mujeres vestidas de hombre, con bigote, y comenta luego con su clásico sentido del humor: "A lo mejor estábamos mejor de chico"[27]. Idéntica idea aparece en una de las secuencias publicitarias de la revista femenina *Bazaar* en los 80 de este siglo —cuya serie de anuncios tiende a subvertir el orden masculino haciendo que los papeles se cambien— donde aparece una mujer vestida de *chica sexy* con bigote. El solo hecho de llevar bigote hace masculinizadas a mujeres culturalmente aceptadas como femeninas. Parece un juego, una broma y, sobre todo, una desacreditación de lo masculino, igual que la Gioconda de Duchamp o las representaciones del poder femenino con bigote de Pedro G. Romero. El artista utiliza

[27] Jensen, 1952, 24, citado por Cooper, 1985, 88.

Pedro G. Romero, s. t.,
(Cortesía de la Galería
Fúcares, Madrid).

esa estrategia en su serie del aura —enfatizada en este caso también el aura sexual— y en el retrato de la reina a la que también viste de bigote. ¿Son poderosas porque llevan bigote? ¿Llevan bigote porque son poderosas? ¿O sencillamente a través del bigote se replantea el concepto global de poder que al final es algo falso, algo de quita y pon? Las mujeres solas —la Gioconda o una reina— se visten de hombre *parodiando* al contrario con estrategias radicalmente diferentes a las de las mujeres de Argos.

Un fenómeno paralelo se da en la iconografía *gay* de los años 70 de este siglo que sustituye la *efebización,* a través de la cual se suele presentar la corriente dominante *gay* hasta ese momento, por el ideal del hombre/macho, los *gays* vestidos de cuero —otra vez Marlon Brando. Esos nuevos *gay* aparecen no sólo en áreas de la baja cultura —fotografías de revistas porno—[28] sino en dibujos como *Las tres gracias* (1979), de Delmas Howe, que populariza una imagen *gay* musculosa y con bigote, algo que en los años 60 pertenece a un subgrupo reducido que se asocia a la imaginaría sadomasoquista, muy en la línea de *Tom de Finlandia (1960). Las tres Gracias* es el resumen de muchas cosas. En primer lugar parodia lo femenino impuesto desde su título y se cuestiona el estereotipo *gay* más aceptado —*the queen,* la *reinona.* Al mismo tiempo enfatiza un tipo de imagen masculina asociada a tres homosexuales masculinizados que han dejado la orilla del Hudson en Manhattan —los cueros son sustituidos por vaqueros— para convertirse en explicitación del *vecino de al lado,* reconstruyendo el ideal de vida americano, limpio y puro, campestre. Representan lo que el vecino de al lado ya no es en los 80, pero debería ser culturalmente, y releen la representación *gay*

[28] Me refiero a revistas especializadas como la *gay*-sadomasoquista *The Drummer.*

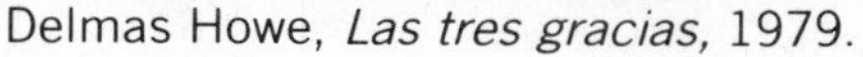

Delmas Howe, *Las tres gracias,* 1979. Tom de Finlandia (hacia 1960).

establecida a través de una recuperación de los machos de la clase trabajadora —todos los hombres son en realidad *gay,* muy al estilo de *The Boys in the Band* (1970)[29]. Ese tipo de representación de lo masculino, del macho tradicional, es una forma de diferenciación del grupo dominante en una sociedad donde priman, también para los hombres, los ideales de belleza andrógina —caras perfectamente afeitadas y sin arrugas—, donde domina la *efebización* que, en principio correspondería al mundo *gay* y que es desde hace algunos años un tipo de ideal impuesto, como se puede comprobar en numerosos anuncios contemporáneos, desde los más inocentes —*Lauder* para hombres— hasta los más perversos —*Biblos* (ambos de la campaña de 1988).

Los hombres *gay* se redefinen a través de sus propias estrategias de grupo —retomando modelos que pertenecían a una subcultura homosexual— y recuperan un ideal de macho, *passé* entre los heterosexuales de los 80, para rebelarse a un tiempo contra el estereotipo que de ellos tiene el grupo dominante y diferenciarse de ese grupo justamente a través de atributos que no deberían corresponder con la forma en que la sociedad tiende a verlos: afeminados. En un momento histórico en que los hombres heterosexuales se replantean los símbolos de su masculinidad colectiva, estos son retomados por los homosexuales como distintivo de grupo, en el fondo como parodia *camp* de la masculinidad. En todos los ejemplos comentados se asiste a la desiconización del símbolo: ese bigote ya no está ligado al concepto de virilidad que la cultura dominante tiene sino que pone la misma en entredicho —cualquiera puede ser viril, basta con pegarse un bigote. Las reinas, en todas sus acepciones, rubrican su poder con un bigote para convertirse en más poderosas todavía —el rey. Este no es un heterosexual potente y esta no

[29] Dyer, 1983.

Publicidad de Byblos aparecida
en *The New York Times*
a lo largo de 1988.

Publicidad de Lauder aparecida
en *The New York Times*
a lo largo de 1988.

es una mujer masculinizada, sino otro producto totalmente nuevo que replantea la esencia de las construcciones culturales al uso o sus implicaciones pasadas.

La adopción de los símbolos del poder (masculino heterosexual), incluso en los momentos históricos en que predominan los supersexuales y las mujeres y los hombres recuperan su apariencia más decididamente diferenciada, se sigue explotando al menos a nivel iconográfico como epítome de la modernidad por lo que supuestamente tiene la transgresión. Incluso en los conservadores años 50 la publicidad explota la imagen de la joven a la moda subida en una moto. En una primera lectura se trata de una práctica habitual de la publicidad que utiliza cuerpos femeninos para vender productos masculinos a hombres. Desde ese punto de vista es una falsa modernidad ya que sigue utilizando a la mujer como señuelo, simplemente se la presenta adecuada a los gustos del hombres del momento. Por otro lado hace explícito el modelo de identificación —también clásico en publicidad— de la mujer que quiere ser moderna transmigrando al cuerpo fotografiado donde la tradicional bicicleta ha sido sustituida por la moto, en ambos casos apropiación del falo. En términos publicísticos cumple el doble papel de mujer objeto/consumidora real-potencial y, a pesar de que la *Nueva Mujer* está en esos años olvidada, sigue perdurando la idea de lo masculino asociado a la modernidad y, consiguientemente, se ve como moderna la apropiación femenina de símbolos masculinos.

La única diferencia es que en esos años 50 las mujeres que la publicidad presentaba como transgresoras lo hacían desde la mirada del poder o consensuadamente con el mismo. Ya no eran las mujeres que al haber contrave-

Publicidad de *Labomix*
aparecida en 1954.

nido los territorios metahistóricos habían dejado de ser mujeres, sino chicas modernas pero perfectamente integradas (dominadas) que, tal vez, no habían siquiera recibido educación superior.

3

El forzado placer (los hombres nos inventan frígidas, los hombres nos construyen sexuales)

Durante el periodo inmediatamente anterior a la Primera Guerra Mundial y los años posteriores a la misma los autores cientifistas basaron su labor de descrédito de las *Nuevas Mujeres* en teorías que retomaban los principios básicos de sus predecesores: las mujeres que optaban por la carrera profesional en contra del matrimonio corrían el grave peligro de convertirse en lesbianas.

La confusión entre *Nueva Mujer* y lesbiana —dos términos ni mucho menos intercambiables— tiene su base en la definición que de las últimas ofrece Ellis y que se acerca a la de las jóvenes independientes: "en sus hábitos no es sólo frecuente encontrar el de los cigarrillos, a menudo practicado por mujeres muy femeninas, sino la decidida afición y tolerancia hacia los puros. Aparece también su rechazo y a veces incapacidad para los trabajos con la aguja y otras ocupaciones domésticas y una gran capacidad para el deporte"[1]. Al modelo *gay* femenino de Ellis, o basado en ese equívoco, se unía la insistencia en el peligro de lesbianización entre las mujeres educadas e independientes que se hacía cada vez más asfixiante[2] y que durante los años 10 y 20 daba como resultado el aumento en el número de matrimonios entre las mujeres universitarias con el consiguiente abandono de sus carreras profesionales[3].

A lo largo de casi cincuenta años la *Nueva Mujer* va transformando su perfil desde los manuales de los hombres aunque esos cambios tienen poco que

[1] Ellis II, 1927, 250.

[2] Smith, 1985, 281.

[3] Este hecho aumentó considerablemente los matrimonios de las mujeres con instrucción superior, incluso en el periodo de la postguerra, a pesar de que ésta hubiera diezmado a los hombres. Entre 1910 y 1918 son frecuentes las advertencias explícitas contra el lesbianismo y muchas mujeres se casan por miedo a convertirse en lesbianas, como explica Jeffreys.

ver con la realidad y mucho con las elucubraciones masculinas. No es la *Nueva Mujer* quien cambia entre los años 70 del XIX y los 20 de este siglo sino que es transformada desde la óptica masculina a partir de la cual las mujeres acaban por percibirse. Así, en los años 70 del siglo XIX los científicos americanos hablaban de la *Nueva Mujer* como alguien que rechazaba la maternidad, no a los hombres, mientras en los 90 esas mujeres empezaban a ser vistas de forma diferente: a través del rechazo de la maternidad atentaban contra las categorías de género establecidas y, por tanto, rechazaban también a los hombres implícitamente. Eran las "lesbianas hombrunas", que codificó Havelock Ellis, y cuyo concepto acabaría por desacreditar a la *Nueva mujer* y, peor aún, en los años 20 —y después de una labor sistemática centrada en el miedo al lesbianismo por un lado y la glorificación de la actividad sexual *sana* por el otro —acabaría por dividir al movimiento, enfrentando a las *Nuevas Mujeres* de esos años con sus antecesoras de la primera generación que en ese momento se presentaban como "mojigatas" y "puritanas".

La realidad es que los éxitos políticos alcanzados por las sufragistas —a pesar de ser escasos— empezaban a mostrar a la mujer políticamente comprometida como una amenazaa para la cultura dominante. Teniendo en cuenta que todo lo "natural" se canalizaba hacia el inamovible concepto de los genitales, la subversión al orden, fuera de la naturaleza que fuera, acabaría por desembocar, también entonces, en un debate sexual que nada tenía que ver con el de las *Nuevas Mujeres* de los 80 del XIX.

Sin duda la guerra trajo cambios radicales en la vida de las mujeres, sobre todo en una mayor participación en el mundo del trabajo[4], pues durante el periodo que los hombres pasaron en el frente resultaba cómodo que las mujeres se hicieran cargo de los problemas civiles y no encontraron muchos obstáculos. Con el final de la guerra las cosas cambiaron radicalmente y llama la atención que la campaña contra las mujeres comprometidas políticamente y en favor del matrimonio y la vida sexual *normal* —camuflada bajo la apariencia de lucha contra el lesbianismo— coincida en los Estados Unidos con un momento en el que se temía que la capacidad de producción americana excediera la capacidad de consumo de los ciudadanos. Rapp y Ross[5] conectan esa vuelta al hogar con un intento perfectamente premeditado de redomesticar a la mujer para reconvertirla en la consumidora entusiasta que las primeras *Nuevas Mujeres,* ocupadas en asuntos de otra índole, no tenían tiempo de ser. Se puede adelantar cómo la vuelta al hogar está unida, incluso en los 50, a cuestiones de índole más económica que de sociología sexual: no es que los 30 o los 50 sean realmente más puritanos, sino que parecen más puritanos porque centran sus campañas en aquellos problemas en apariencia sexuales aunque más relacionados con las mujeres liberadas políticamente; son más puritanos en tanto en cuanto tienen implicaciones político-económicas muy interesadas en restablecer el "orden natural".

Por otro lado, también conviene revisar la homosexualidad —masculina y femenina— que se suele ver como un típico fenómeno de los años 20, propiciado según algunos autores por el largo periodo en las trincheras. Se

[4] Un caso muy citado es el que recoge Hillier (1971, 38): desde 1912 las chicas eran las que controlaban los billetes en el Támesis (Lady Pentland, 1928, 278).

[5] Rapp y Ross, 1981; citado por Smith-Rosenberg, 1985, 282.

Lynn Hoffmann,
1939.

debería plantear, en primer lugar, si la supuesta homosexualidad durante la guerra y en los años posteriores no es fruto de un despliegue propagandístico enraizado con esos factores sociopolíticos y, segundo, cómo dicha homosexualidad se percibe de forma diferente en el caso de hombres y mujeres, siendo la lesbiana un tipo de imagen mucho más popularmente explotada.

Los 20 son años de indudable relajación en las costumbres sexuales en comparación a las décadas anteriores, también porque la literatura de los hombres pone de moda esa mujer liberada a la que se impone el placer masculino y que luego será combatida en los 30. Los años posteriores a la Primera Guerra Mundial se caracterizan sobre todo por el culto a la juventud y lo novedoso y la moda se transforma para enfatizar esa apariencia optimista que la nueva sociedad requiere y que la publicidad catapulta. Pero la moda femenina no se libera de la jaula: las mujeres salen de una década con la cintura de avispa y entran en la siguiente vestidas con un saco corto que les obliga a seguir dietas infernales y a vestirse con tremendos corsés dentro de los cuales "las curvas desaparecen y en su lugar se admira una silueta "de chiquillo", plana por delante y por detrás, con piernas largas y delgadas"[6]. Sin duda, la mujer real en los 20 dista mucho aún de la imagen ideal que plasman dibujantes de la época como Barbier o Penagos. Sólo en los años 30 consigue el ansiado aspecto de adolescente, como muestra en 1939 el retrato de la psicóloga Lynn Hoffmann, justo en un momento en que lo juvenil deja de ser popular y se empieza a buscar una imagen adulta y madura, con tendencia a lo supersexual.

[6] Lurie, 1983, 73.

Los historiadores de la moda establecen varias hipótesis para explicar los cambios inmediatos a la guerra y al menos dos de ellas se suelen asociar a fenómenos de homosexualidad[7]. La primera explica cómo durante esos años las mujeres se visten de forma más provocativa —de ahí las faldas cortas— para atraer a los hombres y conservar de este modo la especie muy diezmada por la guerra, y la segunda cómo se androginizan para tratar de sustituir a los jóvenes muertos en la contienda. Incluso aceptando esa libertad sexual como un deseo inconsciente de aumentar la natalidad, esto no explicaría, como comenta Lurie, que la ropa sea más provocativa al suprimir las características sexuales secundarias.

La segunda teoría enraizaría con la hipótesis que plantea Hillier[8], quien avanza cómo los años de la guerra establecen un tipo de camaradería en las trincheras, una homosexualidad masculina que al volver al mundo civil desea encontrar mujeres parecidas a sus compañeros, de ahí desdibujar lo sexual secundario en la mujer o cortarla el pelo. El nuevo ideal no sólo da lugar a una abundantísima iconografía sino a numerosos comentarios en las revistas del momento y es incluso el tema de una conocida historia de Scott Fitzgerald, quien en *Bernice Bobs her Hair* (1920) narra las aventuras de una jovencita que al cortarse el pelo, convencida por una prima malvada, pierde su mayor atractivo (no se van a plantear ahora las relaciones del autor con las mujeres o el corte de pelo como castracción).

La tesis de la homosexualidad masculina en las trincheras parece confirmarse en los planteamientos de Martín de Lucenay, quien en un volumen de la colección *Temas Sexuales,* aparecida en Madrid en los años 30, refiere algunos ejemplos de los vicios de la guerra, entre ellos prácticas de bestialismo, artefactos para el placer sexual o fenómenos de travestismo entre los soldados: "Uno de los alemanes, excelente músico, era el más solicitado por sus modales completamente femeninos"[9].

Lucenay cuenta entre otras la historia de un ilustrador de la *Vie Parisienne* que realiza dibujos siguiendo las instrucciones de sus camaradas y apunta el ejemplo de una figura de mujer masturbándose con un gran pene de asno cuyos testículos son alas de mariposa o aves del Paraíso. Este tipo de narración es tan cliché —las mariposas y las aves del Paraíso con dos símbolos establecidos del Déco y asociados a la homosexualidad— que a veces se tiene la sensación que Lucenay no describe la realidad sino que busca los tópicos que reafirmen sus teorías de decadencia —sobre todo entre los alemanes, por estar su ejército compuesto de soldados que eran casi niños— en las que se incluyen la necrofilia, las temidas enfermedades de transmisión sexual y las medidas profilácticas contra éstas.

Para Lucenay los desmanes de la guerra son la explicación de la decadencia en la paz y ese mismo impulso sexual se halla en las posteriores revoluciones políticas y económicas: "Terminada la contienda, todos los vicios adquiridos en la guerra se multiplicaron en la paz. Como si la humanidad reaccionase violentamente del embrutecimiento de la guerra, surgió la agitación, el loco

[7] Recogidas por Lurie, 1983.
[8] Hillier, 1971, 38 ss.
[9] Martin de Lucenay, 1934, 42.

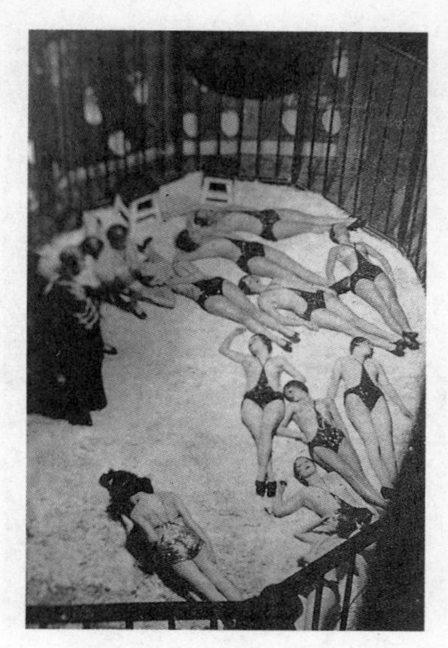

Las adoradoras de Safo,
hacia 1930.

dinamismo de los placeres, ese ansia incontenible de goces que empezó en el "jazz-band" y no acaba ni en la violencia a veces mortal de los deportes, que es como un remedo exacto de la guerra"[10].

Si en el caso de la homosexualidad masculina es posible sospechar manipulaciones, el lesbianismo está sin duda mediatizado por innumerables factores externos al hábito en sí mismo. Las imágenes de lesbianas, que proliferan durante esos años, podrían ser esencialmente producto de la mente masculina una vez más, centrándose entonces no sólo en el deseo de los hombres, sino en una perversa componenda para acabar con ese tipo de *Nueva Mujer* que se percibía como una amenaza social, convirtiendo en una metáfora sexual el miedo a ser desplazados de la posición de poder. Historias increibles como las de imaginativo Lucenay parecerían confirmarlo, como la inverosímil vida de *las adoradoras de Safo* —curiosamente ilustrada— que eran en el siglo XVIII las damas más sobresalientes y que en ese momento habían pasado a ser "las 'nones', las que no tienen hombre o las que no quieren someterse a las disciplinas de la maternidad"[11]. Esas modernas Adoradoras de Safo, que él describe como seres abominables, tenían por costumbre sortear un hombre que luego la ganadora alquilaba al resto con el consiguiente agotamiento del desdichado. Testimonios como estos hacen sospechar sobre la manipulación histórica heredada que inventa o exagera el aumento de los abusos sexuales.

Hillier atribuye a la carencia de hombres el supuesto crecimiento del lesbianismo —si bien el aumento de los matrimonios durante esos años parecería contradecir la tesis— y utiliza como prueba de la homosexualidad

[10] Martin de Lucenay, 1934, 52.
[11] Martin de Lucenay, 1934, 51.

Penagos, ilustración para
La Novela Semanal, 1926.

femenina la publicación de trabajos como el de MacKenzie *Extraordinary Women* del 28 y la popular novela *The Well of Loneliness,* a la que contesta Egan en *The Sink of Solitude* con referencias a D. H. Lawrence y culpando a las teorías de Ellis en tono satírico[12].

En primer lugar, no creo que esas excepciones sean suficientes para afirmar que existía una establecida homosexualidad femenina y menos aún una extendida literatura lesbiana —más bien se trataba de algunos primeros ejemplos codificados como tales—, como tampoco parece justo decir que ya no era necesaria la emancipación femenina porque las mujeres hacían trabajos masculinos. La impresión que se tiene es más bien una manipulación de la realidad social basada sobre todo en un cierto tipo de literatura, muy popular durante esos años, que descubría mujeres que frecuentaban bares y fumaban puros como los hombres, seduciendo a otras mujeres inocentes. Joyce plantea en *Ulises* la idea del andrógino desde una perspectiva negativa —muy extendida en determinados círculos— al mostrar a la travestida Bella como espejo del afeminado Bloom: "el hombre antinatural completa a la mujer antinatural"[13]. Por su parte, D. H. Lawrence, en *The Fox* —e indirectamente en las recurrentes madres castradoras de sus novelas—, recrea el ideal de lesbiana reconducida al buen camino, vencida por el amor (masculino).

La androginia, mal delimitada y a menudo confundida con la homosexualidad, solía verse entonces negativamente y si las mujeres aparecían como las castradoras impenitentes, los hombres representaban a la nueva clase

[12] Hillier, 1971, 38. Unos versos aparecidos en Egan son: "Women in Love Now Only Love Themselves/And Men Are Left Like Duller Books On Shelves".
[13] Esta es la tesis que plantea Gilbert, 1980 y 2, 1989.

Jeanne Mammen, *Dos mujeres en el club,* hacia 1930.

castrada. La iconografía sobre la homosexualidad masculina explícita se reducía en todo caso a unos ámbitos muy específicos, al contrario que el lesbianismo del que se hacen eco también publicaciones concebidas para el público general. Barbier dibuja en 1923 unas *Lesbianas,* siguiendo unos patrones muy clasicistas típicos de *Las canciones de Bilitis,* y Penagos utiliza a dos lesbianas —además en una actitud sadomasoquista— para ilustrar un número de la popularísima *Novela Semanal.* Tradicionalmente ha existido una diferencia esencial entre la homosexualidad femenina y masculina pues el tipo de fotografía homoerótica se inserta generalmente en publicaciones sólo accesibles a un sector minoritario. Esto se debe a la ambigüedad que históricamente se asigna a las representaciones de mujeres solas que se suele leer como un juego pasajero —lo masculino no puede aceptar que existe una sexualidad seria sin su presencia. Esa misma mirada del poder —masculina heterosexual— construye las imágenes y las hace circular desde su posición privilegiada: esa mirada *crea* la realidad más que ajustarse a ella.

Pero a pesar de la proliferación de las imágenes lesbianizantes manipuladas —y no sólo en publicaciones de matiz pornográfico— las mujeres también crearon una estética propia que hacía un guiño a la mirada dominante. Sus protagonistas aparecían fumando en los bares y afrontaban al espectador directamente, rebelándose como el verdadero terror del hombre tradicional. Entre otras, Mammen dibuja a esas mujeres que no se entretenían juntas esperando a su Príncipe Azul, sino que *estaban* juntas.

En cualquier caso las mujeres artistas con un compromiso homosexual explícito se limitan a casos aislados como los Mammen, Gluck o Romaine Brooks con pocas referencias abiertas en sus obras —Mammen es quizás la excepción con sus carteles para clubs de lesbianas. Por su parte la iconografía Gluck, que en los represivos 40 y 50 no quiere ser vista como un objeto de

Gluck, *Autorretrato con cigarrillo,* 1925.

curiosidad[14], se centra sobre todo en representaciones propias y de sus amigas como *Nuevas Mujeres,* que a nivel estrictamente visual no se diferencian excesivamente de las de otras artistas no homosexuales.

Brooks es uno de los ejemplos más peculiares con sus cuerpos delgados "de pechos pequeños e inmaduros y sin pelo púbico"[15], cercanos a la imaginería adolescente, y ajustándose a veces a una falsa reminiscencia de ideales puramente masculinos como *Peter (Joven inglesa),* con aspecto de muchacho. *Lady Troubridge* es presentada como un noble inglés, seria con su monóculo, su traje masculino y sus perros, en la línea tradicional de las *Nuevas Mujeres.* En su famoso autorretrato Brooks se presenta como un Wilde melancólico: es la conversión definitiva de la *Nueva Mujer* a *dandy,* a un ser estéril en busca más del deseo que del placer. Ya no se trata de mujeres que han tomado algunos símbolos masculinos y los han releído, femenizado hasta cierto punto. La delicadísima figura de Brooks se ha vestido de hombre probando una vez más que ir vestido de hombre no es lo mismo para un hombre, para una Nueva Mujer, para una lesbiana o para una pintora de los años 20.

Las modelos de Brooks forman parte de una subcultura asociada a la mujer inserta en la élite que mantenía la ropa masculina como estrategia contra el poder y continuaba replanteándose "el orden natural" por medio de su conducta y sus imágenes. Se trataba de grupos reducidos en los que a menudo no se insertaban sólo mujeres sino hombres, en un intento de revisar las relaciones de género y a través de ellas el resto de lo establecido. La mayoría de estas imágenes andróginas corresponden a intelectuales o artistas asociados a la vanguardia que captan un tipo de mujer independiente, tam-

[14] Cooper, 1986, 97.
[15] Cooper, 1986, 92.

Bernice Abbott, *Madame Theodore von Rysselburghe* hacia los años 20.

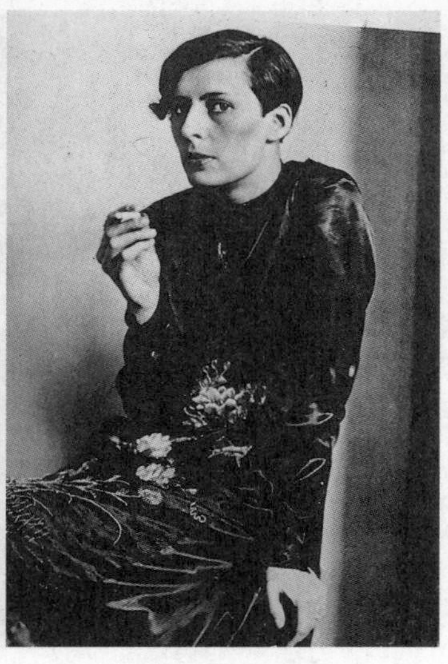

August Sander, *Retrato de una secretaria de la Radio de la Alemania Federal,* 1931.

bién parte de esa vanguardia, a la cual retratan sin ironía. Dentro de este acercamiento se inscriben los retratos femeninos de Berenice Abbot, quien fotografía a mujeres vestidas con corbata o en actitudes masculinas —como la princesa Eugène Murat que aparece vestida de mujer pero fumando desafiante—, aunque nunca patentizan la conversión a *dandy* o Querelle, como las obras de Mammen o Brooks, a pesar de que casos aislados como el de la señora de Theodore van Rysselberghe apunten a la metamorfosis. Casi todas las fotografías son retratos de escritoras o mujeres de la alta sociedad vestidas a la moda masculizante —Jean Heap, Jannet Flanner o la señora de Raymond Massey.

Abott no es la única interesada en retratar este tipo de mujer sino que algunos hombres contemporáneos también se interesan por ellas. Tal vez los casos más conocidos sean el *Retrato de Sylvia von Harden* (1926) de Otto Dix o las numerosas fotografías de August Sander que no sólo captan mujeres con aspecto masculino sino hombres con aspecto delicado. Ante la fotografía del joven *Estudiante de bachillerato de Colonia* (1926) y la fotografía de la *Mujer del pintor Peter Abelen* (1926) vuelve a surgir una antigua pregunta: ¿quién es ella y quién es él y a quién seducen?

Naturalmente se puede argumentar que los artistas hacían sencillamente retratos de sus amigos, que por esos años habían adoptado un aspecto andrógino, pero la elección del tema, el interés por estas mujeres y la forma respetuosa de acercarse a ellas, incluso en casos irónicos como el de Dix, demuestran la positiva acogida del fenómeno desde ciertos sectores vanguardistas. Estas mujeres suelen representar un ideal ligado al de *demimondaine* que se manifiesta en figuras como Lempicka —quien se autorretrata vestida a la masculina— o Djuna Barnes, cuyas aventuras homosexuales parecen

Otto Dix, *Retrato de Sylvia von Harden,* 1926.

probadas[16], aunque *Nighwood* no habla específicamente de cuestiones femeninas sino de los problemas de un grupo de desclasados, gente travestida no sólo en el género sino en la clase, sin raices de ningún tipo.

Las representaciones de este grupo de vanguardia son las que guardan la esencia de lucha heredada de la primera generación. El resto de las mujeres andróginas, una imagen muy popularizada por otra parte, se puede encuadrar más fácilmente en un tipo de iconografía circunscrita a los ideales masculinos de juventud, tan en voga en el momento. De hecho, la sensación que se tiene viendo las películas de esos años es que sus protagonistas más bien parecen las niñas que eran hacía diez años que los niños con los que habían jugado. Pero si diez años atrás el ideal de belleza era la niña inocente, entonces la "flapper" era una niña perversa en busca de nuevas emociones pero su corte de pelo era más infantil que masculino y muy pocas mujeres se decidían por el "Eton crop", realmente poco favorecedor como demuestra la triste historia de Bernice. Sus compañeros también se rejuvenecen y pierden la autoridad que habían mantenido a lo largo del XIX, al menos en el ideal que presentan las ilustraciones de las revistas donde se ponen de moda los hombros estrechos y la barba escasa: hacia los años 20 no estaba de moda el hombre atractivo de mediana edad sino un jovencito mono acorde con la nueva personalidad que exigía la época —atlético, atrevido, romántico, moderno... como explica Lurie. La ropa ya no trata de hacer a los hombres duros y respetables sino aniñados, unos eternos jugadores de tenis que con sus jerseys informales se establecen como ideal desde la publicidad. Pero deducir que estos cambios están basados sólo en la homosexualidad es deducir mucho. Es más probable que se trate de un cambio en la forma de ver el mundo para

[16] Field, 1985, 37.

August Sander, *Estudiante de Bachillerato de Colonia,* 1926.

August Sander, *Retrato de la mujer del pintor Peter Abelen,* 1926.

el cual es necesario otro tipo de protagonistas, que también en la literatura sustituyen a los tipos seguros de Shaw o Hardy; los hombres menos molíticos y más inseguros de Lawrence y Joyce ocupan su lugar. Habría pues dos fenómenos claramente diferenciados: la popularizada moda de las mujeres niñas que corresponde a una mirada masculina y un grupo de vanguardia que relee lo establecido y persiste en un replanteamiento de los *roles.*

Por su parte los científicos establecían en esos años tres tipos esenciales de mujer: la sexualmente sana —una mujer que practicaba una sexualidad masculina dentro del matrimonio—, la agresiva sexualmente asociada al concepto de "la lesbiana hombruna" y al de mundana[17] y la puritana. Esta última se asociaba a la figura de una mujer soltera no excesivamente joven que odiaba a los hombres y que era, en cierto sentido una activista, la sucesora directa de las primeras *Nuevas Mujeres.* Astutamente desactivada, a través de una falsa concepción de lo sexualmente sano, ella representaba la antítesis de la mujer moderna liberada y acababa por identificarse con la mujer sexualmente insatisfecha[18]. De este modo, divididas ya definitivamente las *Nuevas Mujeres* en dos grupos contrapuestos, a través de manipulaciones refinadas habían transformado el primer impulso político de las sufragistas

[17] Es curioso que incluso la mujer heterosexual puede ser vista como sexualmente agresiva si practica la sexualidad fuera del matrimonio. Esto sigue siendo entonces algo antinatural y los hombres temen la agresividad sexual de la mujer hasta tal punto que la mujer que prefería estar arriba durante el acto sexual incluso con el marido hacia sospechar esa homosexualidad latente (Smith-Rosenberg, 1985, 283).

[18] Una mujer sexualmente satisfecha no se dedicaba al activismo político. Smith-Rosenberg, 1985, 283. El Nuevo Hombre había convertido a la mujer con una causa política en la enemiga de la nueva generación de mujeres liberadas que deseaban expresar su sexualidad con un nuevo lenguaje, que parecía estar más cerca de Ellis que de las primeras sufragistas.

Viñeta aparecida en *Punch* durante los años 20.

por un deseo de liberación sexual que no había formado jamás parte de su discurso.

Los reformadores sexuales se oponían en ese momento a la mujer frígida y al mismo tiempo trataban de crear un tipo de sexualidad que esclavizaría a hombres y mujeres de sucesivas generaciones: la sexualidad "sana" era observada como un valor más a poseer[19].

Pero la llamada reforma sexual nunca se planteó variar el comportamiento sexual de los hombres; más bien pretendió que las mujeres participaran con entusiasmo en sus deseos, tal vez porque las campañas feministas contra la prostitución habían dado sus frutos y los hombres "necesitaban una compensación"[20]. Escritores, científicos y tratadistas organizan una dudosa cruzada a favor de lo sexual que no trataba de redefinir la sexualidad masculina sino oponerse al concepto de frígida a través de un engañoso avance en la liberación feminista. A las mujeres se les volvía a negar su cuerpo bajo la apariencia de presencia activa y este engaño masculino se convierte en la base de la revolución sexual que se va desarrollando desde finales de los años 50: una trampa mortal a través de la cual se ofrece a la mujer la falsa recuperación de su cuerpo sexual. Los últimos veinte años han sido, incongruentemente, de lucha feminista por el propio cuerpo, ya que al final hemos luchado, sobre todo, por el placer masculino, en una confusión propiciada por los hombres en la que sexo se iguala a género.

Yo misma en una comunicación[21] presentada en 1984 centraba el cambio radical de los hábitos sexuales en España en la obra de Felipe Trigo, cuyos

[19] La reacción a estas nuevas ideas se expresa en la contribución de Joanna Elberskirchen al Congreso de la Reforma Sexual celebrado en Londres el año 1929, para quien ese tipo de esclavitud sexual estaba unida a muchos otros tipos de esclavitud. Ella es una feminista de la antigua escuela, una militante sufragista anterior a la Primera Guerra Mundial, impopular en ese momento (Jeffreys, 1985, 186 ss.).

[20] Jeffreys, 1985, 192.

[21] Fue presentada en el congreso "Literatura y vida social", Seminario de Estudios de la Mujer.

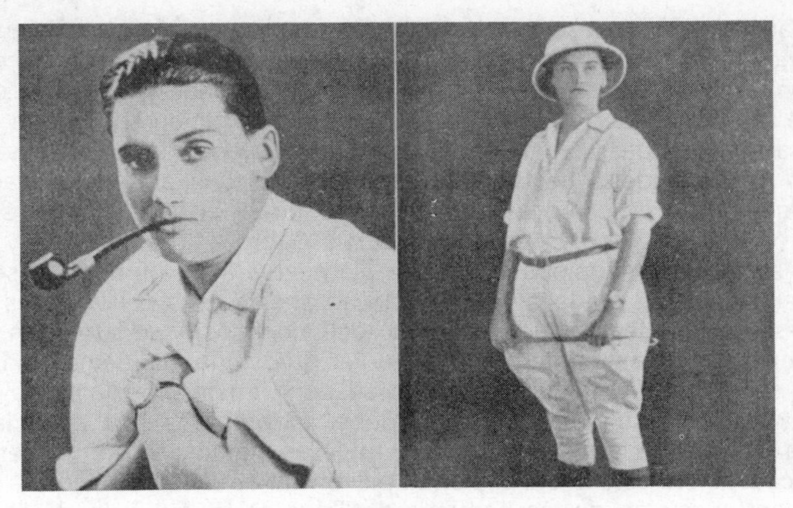

"El Comandante Parker", una mujer de la que se dice vivió como un hombre durante las primeras décadas del siglo XX.

escritos redefiniendo las relaciones sexuales le hacían un hombre del XX comparado con Concepción Arenal, básicamente inserta en el XIX a través de novelas que hablan del amor fuera de los esquemas sociales aunque terminen siempre en matrimonio.

Sin duda, sus planteamientos sexuales hacen de Trigo un típico hombre del XX que sigue la moda del momento —médico además—, pero su liberación sexual, su reconocimiento de la no frigidez de la mujer no expresa ni mucho menos una innovación real en la vida femenina, sino un nuevo tipo de presión. Alcanzar el reconocimiento de la no frigidez no debería ser en última instancia algo excepcional sino natural, las mujeres no han sido nunca frígidas —ni siquiera son culpables los hombres inexpertos, como decía el *slogan*—: los hombres las inventan frígidas. El desdecirse de los hombres sobre otro concepto inventado por ellos tiene sólo el valor de una simple contradicción o una nueva moda. Tristemente las mujeres han creido siempre lo que los hombres han dicho de ellas —y casi nunca era cierto. Los hombres nos inventan frígidas, los hombres nos construyen sexuales.

Trigo plantea de hecho una tesis muy popular en el momento: la liberación sexual sólo se puede llevar a cabo a través del rechazo del tabú, como explica en *Evas del Paraiso* (1910) y *Sí, sé por qué* (1911), ambas basadas en las ideas engelsianas del *Origen de la Familia,* con sus críticas a los falsos valores de virginidad, adulterio, celos, etc. —y no creo que haya que incidir en las escurridizas relaciones entre feminismo y marxismo.

El derecho al propio placer —otra vez el placer del otro— se puede sólo alcanzar a través del acto sexual. Eso es lo que dice Trigo desde su reconocida

Universidad Autónoma de Madrid en 1984 y publicada en 1987 por la misma universidad con el título "Prototipos y antiprototipos de comportamiento femenino a través de las escritoras españolas del último tercio del siglo XIX", en *Literatura y vida cotidiana.*

autoridad, pero las descripciones de los actos sexuales son siempre de relaciones heterosexuales en las que el hombre inicia a la mujer en el placer que conlleva una vida sexual sana. Trigo inventa el ideal de mujer que sustituye a las prostitutas —para él también una aberración social que hay que desechar— y que después de haber conocido el placer no puede pasar sin él. En *Sed de amar* describe los ataques que sufre una amante —ataques de placer que son proyección del deseo masculino en el que la mujer sucumbe ante la virilidad— y en *Alma en los labios* Gabriela, protagonista y amante ideal —algo más emancipada— llega a plantearse si la inferioridad sexual de la mujer no estará unida a su inferioridad social. Esta reflexión es curiosa pues resume los ideales de la época: lo político y social se subliman a través de lo sexual y, consiguientemente, la mujer que sigue los ideales masculinos llega a ser libre. En ningún momento se pone en tela de juicio la eficacia sexual de lo masculino y la mujer debe adaptarse a esa eficacia. Es la mentira en la que durante años las mujeres hemos caido: el derecho al propio cuerpo era sólo la obligación al placer del otro.

La contraposición de las heroinas de Trigo es la *Tia Tula,* de Unamuno, que recrea un personaje con ciertos posicionamientos feministas —muy matizados. Aunque el autor acabe por sublimar a esta "solterona" en la madre universal, su desinterés por el sexo refleja en ella ciertos tics emancipacionistas, a pesar de resentirse a veces de su falta de entrega ("la que está sola soy yo"). Su pudor de mujer de antigua escuela no le impide rechazar formalmente los deseos sexuales del novio y del cuñado. Cuando éste le dice que se case con él, que ya es libre, Tula contesta: "Libre estaba, libre estoy y libre pienso morirme". Naturalmente ella no representa a una emancipacionista sin fracturas, ya que juega el papel de *tia* —algo socialmente entendido como una madre sin hijos— pero sí representa lo asexual como antisexual y desde ese punto de vista la oposición a los deseos de los hombres la convierte en oposición a lo que culturalmente se espera de ella.

Pero como suele suceder, esas construcciones masculinas de lo femenino como frigidez y sexualidad libre acaban por escaparse de las manos. Al final la mujer aprende la lección y se libera sexualmente y cuando esto sucede se la empieza a percibir como una amenaza para la salud. El análisis de Lucy Bland y Frank Mort[22] explica cómo la aparición de las enfermedades de transmisión sexual es siempre percibida como un primer síntoma de la transgresión de las normas físicas y morales de salud, siendo las estadísticas de este tipo de enfermedad, en los años inmediatamente anteriores a la Guerra Mundial y durante la misma, síntoma de una sociedad moralmente enferma, igual que en el momento actual.

Si bien sectores feministas achacaban la extensión de los bacilos a la promiscuidad de los maridos con prostitutas, el término *amateur,* la mujer que mantenía relaciones sexuales por puro placer, se populariza en los años 20[23]. Resultaba difícil comprender cómo ciertas mujeres eran gratuitamente promiscuas, si bien en ese momento parte del debate sexual de las feministas

[22] Bland y Mort, 1984.

[23] Una carta anónima que aparecía en *The Times* en 1917 se refería con este término a las mujeres que se dedicaban al sexo promiscuo sin cobrar por ello, de ahí prostitutas *amateur.* Citado por Bland y Mort, 1984, 139.

era ya buscar las propias sexualidades. De este modo se volvía a equiparar libertad sexual con prostitución y se acababa justificando a esas mujeres, igual que a las prostitutas, como víctimas de la seducción[24], poniendo de manifiesto la inconsistencia de las opiniones del poder y el dirigismo de esa liberación sexual. En el período de entreguerras —los conservadores 30 en los que ya se había empezado a ver el peligro de unas mujeres demasiado liberadas sexualmente— la prensa vuelve a poner de moda una sexualidad polarizada: algunas de estas mujeres son inmorales y otras unas mujeres pasivas, víctimas de extranjeros depravados. De este modo se desarrolla la idea clásica que culpa de la inmoralidad al *otro,* al que está fuera del grupo y no forma parte de la mayoría[25]. Como siempre sucede en los períodos de crisis cultural, política o económica, las líneas médicas de demarcación de los sexualmente sanos y los enfermos tienen una función más social que clínica. En décadas posteriores esa mayoría en el poder exasperaría sus posiciones.

[24] Bland y Mort, 1984, 140.

[25] Para la discusión sobre sexualidad, moralidad y raza, Smart, 1981. Esta ocasión sirve además para atacar el *glamour* de la alta sociedad detrás del cual se esconden todo tipo de depravaciones y enfermedades (*The People* Londres, 4 de febrero de 1924, citado por Bland y Mort, 1984, 144). En cierto modo es un ataque contra las capas sociales que parecían ser menos conservadoras.

4

Los supersexuales

Si hubiera que definir el arquetipo moderno más aceptado de lo femenino y lo masculino, la primera imagen en que se pensaría sería la de Doris Day o Marilyn, la de Hudson o Brandon: las chicas y los chicos buenos y malos. Pensaríamos en la imagen familiar de nuestras madres con sus amplios escotes floreados y los tacones altos escondiendo unos piececitos menudos, enfundados en unas medias de cristal sujetas por el liguero. Vendría a nuestra memoria la imagen familiar de una mujer atractiva de la mano de su hijo, rodeada por todos los artefactos modernos. Pensaríamos, esencialmente, en *el sueño americano* de territorios de género bien prestablecidos que hoy nos parecen naturales o, más aún, que hoy nos llenan de nostalgia ante la esperanza de un mundo perfecto que no fue. Los años 50 se presentan ante nosotros, sobre todo ahora que vivimos su *revival,* como un mundo sin fracturas construido sobre valores tradicionales, objetos automáticos, bienestar y vida sana y confortable. La proyección idílica de esos años es ciertamente una vuelta a lo diferenciado femenino y masculino, aunque arropada por la nueva tecnología que hace más fácil la vida de la familia y en particular de la mujer que, aun manteniendo su territorio estrictamente femenino, entra al mundo del trabajo.

Pero antes hablaba de la nostalgia ante el mundo que nunca fue porque lo cierto es que esas imágenes de nuestros padres en la playa —clonismo de la alegría de vivir de los 50 americanos— fueron captadas en el instante perfecto, réplica de una imagen de felicidad creada artificialmente desde los medios —cine y publicidad—, tan perfectamente pormenorizada que ahora la damos por verosímil si no por real. No obstante, la imagen de perfección que se proyecta desde esos años no es más que un espejismo. Los 50 son uno de los periodos históricos más desajustados en su raíz, más controvertidos precisamente por esa obsesión de proyectar la felicidad como modo de vida. Su construcción perfecta de estereotipos de lo masculino y lo femenino fue de hecho tan detallada que, a pesar de haber ido variando a lo largo del siglo,

Penagos, s. t., 1932.

ante nuestros ojos ninguna tiene tanta credibilidad como la de ese momento que establece el ideal en un tipo de persona blanca, de clase media, heterosexual y, por lo tanto, feliz, moderna, supersexual y sana. Incluso nuestra obsesión contemporanea por la belleza a través de la salud, después de esos años 60-70 en los que ha predominado un mundo sofisticadamente desastrado, sexualmente permisivo y amante de todo tipo de excesos —a pesar de una ambivalencia entre la macrobiótica y el LSD—, es una clara heredera del proceso que se inicia en los años 30 —en los que los anuncios de productos como el jabón Lux o el desodorante se centran más en la patología que en el placer del cuerpo[1].

Belleza y salud —título muy actual por otra parte— empiezan a ser términos intercambiables durante los 30, en los que la precaria situación económica exigía de las mujeres ser eficaces también en su función reproductora y el binomio acaba por convertirse, durante y después de la guerra, en sinónimo de servicio a la nación a través de los hijos —al cuidar su salud la mujer protege a los hijos[2]. No creo que sea en absoluto aleatorio que en un momento como el actual, en que se ha vuelto a imponer la pareja estable y la sociedad vive con el miedo subliminal a una enfermedad de transmisión sexual que equivale a la sífilis de los 30 —explotada más que real—, aparezca en la televisión el cuerpo de una mujer embarazada que anuncia una "piel sana"[3]. Este tipo de anuncio puede ser leido en clave parecida a los que presentan productos contra las molestias menstruales también emitidos por la televisión española: *Dorival* (1989) y *Saldeva* (1991). Ambos anuncios

[1] Ryan (1975, 175) recoge un ejemplo curioso en el que una mujer deprimida se pregunta qué está pasando en su vida mientras la hija dice: "Ayer tampoco besó a mamá". La respuesta está clara: *Listerine* es la solución. La niña está triste porque el padre no besa a la madre, ya que, por una parte, ella se refleja en la madre y no debe cometer sus mismos errores —la presión más recurrente en la época es preservar las relaciones estables— y, por la otra, funciona como el elemento que enfatiza el sufrimiento al ver que su padre no besa a su madre, refrendando así la idea de que hay que hacerlo todo por los hijos.

[2] Este proceso culmina en los 50, en los que la máxima preocupación no era estar bellas sino estar sanas y eliminar los olores corporales, animado por la publicidad del momento. Ryan, 1975, 169.

[3] Anuncio de Sanex emitido en la televisión española durante 1991.

pretenden mostrar un falso replanteamiento de roles y la liberación de tabúes estrictamente femeninos —maternidad y menstruación— que se ofrecen como engañosamente inmersos en el universo colectivo. En el primero aparece una cara que a través de una superimposición va tomando alternativamente forma de chico y de chica mientras la voz en *off* comenta "él no tiene dolores, ella tampoco". En la publicidad de *Saldeva* un jovencito comenta su primera cita con una chica que ese día tiene la regla. Nos cuenta cómo ella le dice que sólo hay una cosa que puede ayudarla: el producto anunciado.

Este tipo de *spots,* que en apariencia deberían ser considerados como andróginos —la estrategia de *Dorival* lo es además visualmente—, un paso al frente en la comunicación entre los sexos, y por tanto progresistas, son la típica trampa de una sociedad a la que el nuevo status de mujer consumidora obliga a incluir lo femenino. Al final, el mensaje subliminal resulta ser mucho más conservador que el de otros anuncios más obvios: ella ya es mujer y puede ser madre y su novio —el que será su marido y que representa a la sociedad— cuida de la recién estrenada mujer porque de ella depende el futuro del mundo: dar hijos a la nación. Así, este tipo de anuncios desvela y acentúa la diferencia sexual al mostrar y proteger una sexualidad sana y admisible: la de las jóvenes que serán madres. Ningún anuncio de preservativos aparecido en nuestra televisión utiliza estrategias semejantes porque el preservativo, contra todo pronóstico, es el símbolo último de una sexualidad sucia, aquélla que implica esterilidad y promiscuidad.

Pero, a pesar de que esa herencia de los 50 es algo que se ha impuesto en los últimos 80, animado sin duda por la crisis del SIDA y los cambios que ésta ha conllevado en los hábitos de todo tipo, parece peligroso centrar el *revival* en asuntos de índole puramente sexual. En el caso concreto de los 50 convendría analizar hasta qué punto la supersexualización se debe a variaciones en la concepción de la sexualidad o si lo que se percibe como un cambio a través de las proyecciones en los medios no se debe más bien a factores de otra índole. Sobre todo, resulta interesante tratar de comprender por qué las mujeres y los hombres se disfrazan en los 50 (y los últimos 80) de lo que culturalmente se entiende como femenino y masculino. ¿Qué ha pasado en el proceso que conduce a la desenfadada "flapper" y su novio a convertirse en los responsables Day y Hudson?

Realmente, centrar el tema en la evolución de las libertades sexuales puede llevar a engaños, pues el sexo actua nuevamente como metáfora de unos procesos sociales y políticos mucho más complejos que son, en última instancia, los que llevan a las "flappers" a convertirse primero en las rígidas mujeres de la depresión disfrazadas de adultas[4] y más tarde en nuestras madres *sexy* de los 50. El paso de los andróginos de los 20 a los supersexuales de los 50 no se verificó de forma súbita sino que se fue afianzando paulatinamente a partir de esos años 30 a un ritmo dictado más por cuestiones económicas que por hábitos sexuales. Es cierto que el descrédito de la mujer que se *presentaba* como liberada tuvo también una cierta

[4] Lurie, 1983, 77, comenta ese cambio de belleza en la que los ideales de juventud están ya pasados y cómo Garbo reemplaza a Clara Bow.

influencia pero las críticas implícitas a las mujeres masculinas de los 10-20, y posteriormente a las chicas fáciles de los 30-40, eran flechas lanzadas contra un grupo muy específico y minoritario de mujeres.

A menudo, las mutaciones en los estereotipos de género en los 30 se suelen atribuir a los regímenes totalitarios que van apoderándose de Europa durante la década y se trata de explicar el ideal de mujer fascista a partir de los cambios en la forma de entender la moralidad —a menudo un tipo de doble moral. Pero este hecho, controvertido y contradictorio en sí mismo —aunque sólo sea porque ese tipo de regímenes propiciaban una sociedad militarizada que tiende a equiparar la apariencia de los roles—, no es, además, aislado o privativo de la Italia de Mussolini ni la Alemania de Hitler. Los Estados Unidos e Inglaterra también cerraban los "juveniles" 20 con una cierta dureza de líneas y conductas —la idea de adulto responsable que caracteriza las décadas posteriores—, preludio de los roles diferenciados de los 50 que en ese momento y potenciados por la necesidad de consumo se modernizan y volvían a ser aparentemente jóvenes, al menos en la iconografía explotada desde la compleja maquinaria publicitaria que había ido sofisticándose desde los 20[5].

Con una cierta frecuencia se habla de los cambios que la llegada de Hitler al poder estableció en los hábitos sexuales de los alemanes, algunas veces en base a las restricciones y otras a los supuestos desmanes que el ejército de las SS llevaba a cabo en sus orgías particulares. El cine ha recreado, con mayor o menor imaginación, la sexualidad entre bastidores —*Salón Kitty, Portero de noche...,* por citar dos de las más conocidas películas— poniendo de manifiesto algo que se presenta como una contradicción en las ideas nazis del ámbito sexual: por un lado se defiende la familia y por otro se licita lo que se entiende como una sexualidad *anormal.* La contradicción es tan patente —a menudo incluso en las consignas confusas de Hitler— que casi se podría decir que por una vez el cine no está completamente apartado de la realidad histórica. La idea de las jóvenes patriotas al servicio de los héroes que recoge *Salón Kitty* aparece abiertamente en la filosofía nazi, aunque sea en apariencia contradictoria con el que parece ser el hilo conductor de la sexualidad femenina: la mujer como ente procreador para el Estado. Así Hitler defendía por una parte la pureza de las mujeres que debían ser madres y esposas —compañeras del hombre en el trabajo y a la hora de formar una familia, como las define en el 32— y por otra parte argumentaba que los soldados dispuestos a morir en cualquier momento tenían derecho al amor libre. Se trata, no obstante, de una falsa contradicción porque en última instancia la mujer estaba concebida como ente al servicio de lo masculino: en primer lugar, como parte esencial en la propagación de una especie elegida, y en segundo, como fuente de placer, manifestándose ambas funciones a través de una imagen exterior abiertamente supersexual.

Pero conviene tener presente que este cambio iconográfico no se hace patente sólo en los regímenes fascistas, aunque no se ponga en tela de juicio su doble moral en los temas relativos al sexo y las restricciones añadidas que

[5] Sobre este punto vide Ryan, 1979, 177, y Marchand, 1985, 359. En los 50 el aire juvenil vuelve pero se trata de adolescentes que se saben comportar, jovencitos que han dejado de ser traviesos, incluso los jóvenes en los 50 son casi adultos rejuvenecidos.

Ernst Zoberbier, *Las olas.*

Ernst Liebermann, *Cumbres solitarias.*

con estas dictaduras sufre la mujer[6]. Esa doble moral se plantea en la curiosa iconografía que populariza la Alemania de Hitler —sin duda de hombres para hombres— en la que repetidamente se presenta el cuerpo femenino en poses más o menos eróticas, si bien escondido bajo títulos extravagantes —*Verano* de Hempfing, en la que una mujer se representa tumbada eróticamente con la blusa a medio abrochar, o *Tiempo de recolección,* de Johannes Beutner, estupenda ocasión para mostrar el seno desnudo de una mujer— y en escenografías historiadas que separan esos cuerpos de las experiencias reales de las mujeres, siempre fuera de situaciones posibles, como nuevas diosas insertas en unos esquemas visuales típicos del Renacimiento y del Barroco, como comenta Hinz[7]. En este tipo de escenas el hombre, raramente al lado de la mujer, salvo en ocasiones donde se representa a ambos como dioses —*Las olas,* de Zoberbier, o en la mencionada obra de Beutner, donde aparecen como camaradas a busto descubierto, claro—, es simbolizado por un cisne —asi lo muestran las numerosas versiones del tema de Leda[8].

En realidad Hitler reproducía los dos tipos femeninos tradicionales: la madre "frugal" y "con tacones bajos" —que buscaba un hombre a través de un anuncio de periódico[9]— y la prostituta —la mujer que da placer a los soldados, propiciada por Hitler y aceptada por las abnegadas esposas. La única diferencia entre la prostituta tradicional y la que el hitlerianismo pone de moda es puramente iconográfica: la prostituta nazi debía ser físicamente perfecta y nada tenía que ver con las que se representaban en las despreciadas obras de los expresionistas, para los hitlerianos principio y fin de todos los males de Alemania. No parece necesario enfatizar que el hipócrita deseo de devolver a la mujer su dignidad no era sino una máscara para encubrir cada una de las formas de prostitución que describía el permanente estado de las alemanas, sometidas a toda clase de vejaciones. Una vez más nos encontramos frente a un problema de clase idéntico al de las mujeres pintadas por Dix y aborrecidas por el nazismo: en los regímenes totalitarios el hombre oprimido

[6] Mussolini prohibió los pantalones entre las mujeres diciendo que era momento de carestía y que la falda pantalón necesitaba menos tela.

[7] Hinz, 1979, 102 ss.

[8] Como las de Rolff, Saliger y otras obras recogidas por Hinz.

[9] Citado por Hinz, 1979, 149.

por el Estado tenía además el beneplácito del mismo para aplastar a las mujeres, que acababan por ser víctimas de las frustaciones masculinas.

Las sexualidades masculina y femenina —a pesar de los juegos travestidos que se llevaran a cabo entre bastidores, según testimonios como los de Lucenay— se definen en esos años a través de una superdefinición sexual que acaba con las ambigüedades explícitas propias no sólo de los cabarets de Weimar, como muestran las ambiguas figuras de *Music Hall,* sino de su estética. Pero algunos de los hábitos de la combativa Weimar pasaron al mundo nazi, incluso a su pesar, si bien vestidos de nuevas significaciones. La nueva Alemania tomó de la República la idea del cuerpo sano y deportista para hombres y mujeres, que pasó a conformar la sociedad futura y perfecta; pero si el deporte denota en Weimar cierto replanteamiento de los géneros, el hitlerismo lo emplea como vehículo de homogenización.

En esos años la mujer se va convirtiendo paulatinamente en la esencia, la madre, la tierra y los artistas cercanos al régimen la representan como parte de la naturaleza[10], dentro de la tradicional concepción de lo femenino. La mujer acaba así por convertirse en célula esencial de ese Estado que necesita soldados para sobrevivir[11], en la madre que sirve a la Nación. Sin embargo, la identificación de lo femenino con el concepto de la madre al servicio del Estado en los años 30-40 no es tampoco exclusivo de los regímenes fascistas, como muestra Janice Winship en el análisis de la revista *Woman,* publicada en el Reino Unido durante los años de la guerra e inmediatamente posteriores a la misma[12]. Muchos de los consejos que la revista ofrece para evitar los "malos hábitos" higiénicos están dirigidos a esas mujeres que acaban por disolverse en un concepto superior e inmaterial: la Nación. Incluso Mary Grieve —quien en muchos momentos es una voz disonante en la publicación afrontando, entre otras cosas, el trabajo de la mujer en casa— se refiere al sexo femenino como "nosotras la nación"[13]. Sobre las mujeres recae así la responsabilidad de mantenerse libres de enfermedades de transmisión sexual para que sus hijos nazcan sanos[14] en un discurso que antepone la nación a la familia o, mejor dicho, en el que la familia existe en tanto parte de la nación, cuyo futuro está representado por los niños sanos que nacen de las mujeres sanas. Parece por tanto que la vuelta generalizada a la supersexualidad se basa en estrategias sólo hasta cierto punto diferentes que dan como resultado iconografías semejantes. Hay no obstante dos puntos clave que determinan las diferencias: la maternidad y la publicidad. Es la combinación de estos dos elementos la que potencia unos resultados u otros: en los países no totalitarios se tiende a convertir a la madre en la máxima consumidora, alguien a quien está dirigida la publicidad y a quien se impone el mito de la salud y la belleza como obligación

[10] Todos los alemanes son soldados hasta la pubertad, entonces los sexos vuelven a dividirse. Incluso en la publicidad o la fotografía de propaganda, que en los años 20 no diferenciaba a hombres y mujeres, se empiezan a dilucidar grandes cambios mostrando hombres masculinos y mujeres femeninas —lo que se entiende por masculino y femenino como estereotipo aceptado.

[11] Una discusión apasionante sobre el problema se encuentra en Bataille, 1985, 137 ss.

[12] Winship, 1984, 188.

[13] Winship, 1984, 201.

[14] *Woman,* 5 de junio de 1948.

subliminal con la Nación a través de los hijos. En el fondo, se potencia el consumo de esos productos que preservarán a la Nación misma a través de la madre consumista atrapada en un círculo vicioso.

No parece necesario enfatizar el conservadurismo de los años 40 y 50 pero si parece útil resaltar que no debería sólo estar condicionado por una mayor necesidad de dar hijos a una nación diezmada. Si esa fuera la explicación, que a su vez potenciaría una mayor definición sexual de los hombres y las mujeres, el fenómeno hubiera tenido que aparecer también después de la primera Guerra Mundial, momento en que se extiende el fenómeno exactamente inverso —la androginización de hombres y mujeres. Parece más lógico pensar que estos cambios en las imágenes masculinas y femeninas —descritos como una curva que a lo largo del XX va alternando las imágenes ambiguas con las supersexuales— suelen emplear la maternidad como metáfora del consumo. Los 30 catapultan a la mujer de vuelta al hogar para convertirla en una consumidora más eficaz y afianzan unas estrategias publicitarias muy medidas que se van estableciendo desde los 20 —durante esos años un sobrino de Freud entra a formar parte de una gran empresa de publicidad en los Estados Unidos. A partir de esas décadas se generan los tópicos que la publicidad contemporánea hereda y perfecciona: venta de artefactos masculinos a través de estímulos sexuales y trampas femeninas encubiertas por engaños de amor y felicidad.

Partiendo de estas hipótesis enraizadas en lo económico, la vuelta al orden que se inicia en los 30 y culmina en los 50 puede leerse desde otra perspectiva que no situa esos cambios reales en un terreno puramente sexual. Ante todo parece necesario aclarar que el modo de entender la sexualidad en los 20 fue un viraje muy matizado. Es cierto que esos años muestran una gran liberalidad respecto a los anteriores pero conviene especificar que los avances se siguen desarrollando a lo largo de décadas posteriores y no sufren un frenazo violento. La única variación importante en los 50 es la buena prensa del matrimonio y los hijos, si bien esto se debe más a cuestiones socioeconómicas. El matrimonio se convierte de hecho en el lugar de la utopía.

La tesis de Freedman y d'Emilio[15] explica lo relativo de esos cambios en la sexualidad de los 20 a los 50. Es cierto que en los años 20 los jóvenes acababan los estudios y se iban a trabajar fuera de casa, alejados del control paterno y con independencia económica. Tal vez a través de hechos como éste, unidos a la propaganda de libertad en novelas, música, etc., los 20 han pasado a "la mente popular como una generación de nuevas libertades sexuales"[16] para la cual las citas amorosas eran algo normal. Sin embargo, el uso de los anticonceptivos sólo legaliza su propaganda y venta en los 30 y a menudo como un control de natalidad de la clase trabajadora o para reducir el número de hijos durante la Depresión. El cambio real en el uso popularizado de los métodos anticonceptivos sólo se verifica en los 50, momento en el que las mujeres se casan jóvenes y a menudo tienen cuatro hijos con poco más de 20 años. Esto les permite hacer uso de los anticonceptivos sin que nadie pueda acusarlas de tratar de escapar a su destino natural.

[15] Freedman y d'Emilio, 1988.
[16] Freedman y d'Emilio, 1988, 240.

Por lo que respecta a las relaciones prematrimoniales se puede hacer un razonamiento semejante: aumentan llamativamente en los 20 respecto a décadas anteriores y se quedan estabilizadas hasta los 60. Lo importante no es, en todo caso, la frecuencia de esas relaciones sino la forma de entenderlas: lo que no está socialmente aceptado en los 20 es un hecho normal cuatro décadas más tarde. Las relaciones sexuales propiamente dichas —con diferentes personas sin intención de matrimonio— tampoco prosperaron mucho en los 20, circunscribiéndose en su mayoría a experiencias prematrimoniales de parejas que más tarde se casarían, igual que en los 50[17]. Los contactos casuales sólo experimentan un ascenso durante la guerra entre las "madrinas" y las chicas que querían complacer a los soldados, pero la amargura que provocaba el abandono al sexo se refleja en numerosos testimonios de jóvenes desde los años 20: las chicas que se "dejan hacer" son muy populares si bien a la larga les resulta difícil casarse.

El doble *standard* entre chicos y chicas —cómo se entienden las relaciones sexuales de uno y otro lado— es algo que permanece invariable de los 20 a los 50 y sólo cambia en lo considerado permisible: de las caricias en los 20 y 30 al coito en los 50. Bajo este *standard* se esconde algo mucho más crucial, la dicotomía de género impuesta que da lugar a dos subculturas muy diferenciadas: la de los chicos, quienes tenían más experiencias y esperaban más de las citas sexualmente hablando, y la de las chicas, que tenían más citas y preferían no tener relaciones sexuales, asustadas sobre todo por el temor al embarazo.

Estas dos subculturas fueron potenciadas desde la publicidad y el cine que también reflejaron la popular maternidad. Si en los años 40 Hollywood establece unos arquetipos de supermujer —dura, eficaz y preparada para toda clase de problemas, aunque lista para sucumbir al hombre, muy en la línea de Joan Crawford—, los 50 popularizan a las "tontitas", "imágenes del sexo pero sin sexo"[18], que viven en un universo efectivamente separado del masculino. Esos modelos de universos cerrados, sin comunicación, son rotos por el cine en muy contadas ocasiones —uno de los pocos intentos de romperlos es *Con faldas y a lo loco*— y casi siempre desde una óptica humorística[19], del mismo modo que el humor es el *leit motif* del *Hasty Pudding Theatre,* un juego travestido teatral que practican los estudiantes de la universidad de Harvard desde hace dos siglos[20]. En otras ocasiones, como en *La novia era él,* de Hawks, la salida de esos universos cerrados se debe a una circunstancia casi siempre precaria y el personaje travestido se presenta incómodo en su papel y queda claro que sólo la necesidad le hace adoptar ese traje, de hecho nunca llega a comprender el mundo femenino.

Los medios acentuan esos cambios de los 50 que poco tienen que ver con lo estrictamente sexual y refrendan —o producen— aquello que es leído

[17] También hay que tener en cuenta problemas de clase y de raza porque no todos tenían posibilidades de este tipo de relación que se suele restringir a la clase media blanca con dinero, cuya posición le permitía comprar ropa, coches, salir de la ciudad, ir a la universidad, etc. Freedman, 1988, 263.

[18] Haskell, 1987, 235.

[19] Sobre el tema de la androginia en el cine. Bell-Metereau, 1985.

[20] Quiero agradecer a Anthony Calnek, autor del libro sobre el tema, el haber llamado mi atención sobre él.

Publicidad de Chesterfield difundida en 1937.

Publicidad de Reard difundida en 1951.

como "perfecto": una familia con niños y *roles* bien definidos que vive en una preciosa casa en las afueras rodeada por los adelantos modernos. En esa familia el padre se convierte en el representante en el mundo exterior —el relaciones públicas— mientras la madre es la guía moral dentro —la vestal en el templo. Este juego de estereotipos no sólo se afianza desde el cine o la publicidad sino desde las series radiofónicas[21] —o las incipientes series televisivas que por esos años empiezan a florecer en los Estados Unidos— y esconde bajo su apariencia de felicidad moderna todas las contradicciones de los 50 que acaban por estallar la década posterior.

Lo contradictorio en la imagen femenina es, tal vez, lo más evidente. Los anuncios, el cine o series como *I Love Lucy* presentan a una mujer moderna para la cual la vida es fácil rodeada por los electrodomésticos y el marido, ampliada la pequeña unidad familiar a los vecinos de al lado y, posteriormente, con el festejado bebé —como sucede en la serie de Lucy. La realidad cotidiana era muy diferente y los medios no hacían sino expresar la forzada unión de esas dos esferas —pública y privada— que Marchand ve como respuesta de los americanos a esa modernización de los siglos XIX y XX. La función de la publicidad se convertía así en terapeútica y trataba de paliar esa esquizofrenia asegurando "a los lectores que todos los aparentes costes psicológicos de escala podían ser eliminados. (Los americanos) podían gozar de todos los artefactos y estilos modernos sin perder los tranquilizadores lazos emocionales de una comunidad reducida"[22].

[21] Jezer, 1982, 229.

[22] Marchand, 1985, 359-360, describe estos dos mundos de la siguiente manera: "la vida del trabajo y las transacciones económicas dura, racional, competitiva e impersonal; y la vida familiar y de las amistades cercanas suave, sentimental e íntima".

Como toda terapia, estaba llena de trampas. A la mujer se le exigía mantener el doble rol de trabajadora —en trabajos donde se explotaba además su sexualidad y en los que a través de su aspecto amable se convertía en vehículo de conciliación de los dos mundos[23]— y de fiel esposa y madre solícita[24]. En torno a ella se creaba la familia, que no era, en realidad, sino una "unidad de consumo"[25] completamente aislada del mundo en su casa de las afueras, desarrollando como último acto desesperado ese sentimiento compartido por los americanos de clase media: la supuesta y exigida privacidad familiar —oposición a la sociedad materialista— no era sino una manifestación optimizada de la paranoia y el aislamiento. El mito de la clase media, "estar juntos", —la "togetherness" que comenta Jezer— escondía la incomunicación de la familia nuclear reunida delante de la televisión y potenciaba la fractura entre el mundo de hombres y mujeres. A los primeros se les educaba en la incapacidad de expresar sus emociones y a las segundas se las atrapaba en una estructura social que no les permitía proyectar siquiera esa maternidad universal del XIX y cuyos productos precocinados en lugar de aliviar su vida las obligaban a una mayor sofisticación en la cocina propia, como apuntó Betty Friedan en su trabajo clásico.

De este modo, la mujer, reina de un hogar publicísticamente feliz —refugio emocional contra una sociedad cada vez más burocratizada y rutinizada, como explicaba Talcott Parsons— acaba por rutinizarse también y buscar el único refugio socialmente aceptado en la manía consumista que, al final, perpetuaba la misma estructura que la atrapaba.

Las exigencias de la realidad económica dictaron, pues, los cambios que a partir del año 29 replantearon el modo de vida y los hábitos de los que por entonces eran vistos como los "ridículos jovencitos" de los 20. Los hombres y las mujeres debían ser maduros —responsables, como se decía en los 50— y a partir de los 30 las líneas femeninas se suavizan y sus compañeros se hacen más masculinos. Es el preludio de la domesticación en las comedias de Hudson y Day y lo que Hemingway describe en una literatura plagada de personajes monocromos y preocupados por asuntos reales, sin las obsesiones psicológicas de D. H. Lawrence.

Era el principio de un deseo que expresaba el sueño americano —clase media, blanco, heterosexual. Una sociedad que quería ser feliz, o al menos parecerlo, y que sólo perduraría mientras sus esquemas generales se mantu-

[23] Ryan, 1975, 125, habla de la "vendedora sexy", un nuevo modelo femenino que se iba poniendo de moda desde los 20.

[24] En los 50, más de un tercio de las mujeres tienen ambas responsabilidades (Ryan, 1975, 185). Dancyger (1978, 45-49) a través de su análisis en las revistas inglesas para la mujer más populares del momento —*Women, Woman's Own* y *Woman's Weekly*— explica cómo también en el Reino Unido durante esos años la mujer se sigue viendo como la reina del hogar. Además de los clásicos problemas de belleza, uno de los temas más populares es "cómo conservar a tu hombre", ansiada meta femenina. El mensaje que el amor romántico es suficiente para la mujer es recurrente en los 50 y 60. A éste se une la idea de la familia feliz y hacerse cada día mejor. Implícita y explícitamente se consensuaba que la satisfacción que derivaba de la maternidad y la condición de esposa era la quintaesencia del culto en sí mismo. La mujer que trabaja expresa lo idílico a la vez que profundamente femenino —actrices, enfermeras...—. La cuestión sobre la doble labor de la mujer casada que trabaja se obvia hasta los 70.

[25] Jezer, 1982, 22.

vieran impolutos. Ginsberg, y con él toda la "generación perdida" acabaría por despreciar esos valores preparando la vuelta de los andróginos en los 60, que también soñaron con poner el mundo boca abajo. Esa generación soñaría con la más radical androginia que acabaría por ser un ideal impuesto: el deseo de ser moderno a toda costa.

Tercera parte

El ideal impuesto: los años ochenta

1

Lo paródico: siempre jóvenes

Baudrillard comentaba a principios de los 80 en *Las estrategias fatales* cómo "lo real no se borra en favor de lo imaginario, se borra en favor de lo más real: lo hiperreal. Más verdadero que lo verdadero: como la simulación"[1]. Esa es la sensación que se tiene ante los nuevos ideales de belleza masculina, cuerpos musculosos que han trascendido su propia realidad de cuerpo de hombre —duros, contrapuestos a los de mujer, blandos— para convertirse más en parodia que en simulación. En última instancia, la de los 90 no es una sociedad de seducciones o simulaciones —características propias del espectáculo por las que nos dejamos embaucar la década pasada— sino que se ha ido convirtiendo poco a poco en una parodia de sí misma. Vivimos en una sociedad paródica que, como todas las parodias, exorbita burlescamente la superficie.

Esos cuerpos inverosímiles de Venice Beach, que han llegado a inundar cualquier revista y hasta las playas familiares que nunca habrían siquiera soñado con ellos, son lo hiperreal masculino, su parodia. A esos nuevos cuerpos —construídos— se ajusta sin duda la imagen de Baudrillard: más reales que la realidad, hiperreales. Pero ni siquiera él, tan interesado en clasificar todos los cuerpos, ha encontrado una respuesta satisfactoria para esos otros cuerpos femeninos también obsesionados por los músculos y que son la parodia de la parodia masculina. Aunque tal vez es posible que los dos casos sean simplemente parodias equiparables si pensamos que, en el fondo, los hombres y las mujeres que quieren ser poderosos, parecer poderosos y sentirse poderosos se disfrazan de igual manera de aquello que culturalmente se considera viril.

El comportamiento femenino ante el fenómeno no presenta más contradicciones que las habituales. El proceso de asimilación del nuevo ideal por

[1] Baudrillard, 1983, 9.

parte de las mujeres sigue la trayectoria típica: se impone un ideal desde lo masculino que es asimilado a lo femenino y que en una década de emancipación de la mujer ofrece, además, numerosos valores añadidos. Se consigue, en primer lugar, vender un producto que reconduce a una aparente igualdad en lo sexual y lo social y, sobre todo, a una falsa adecuación a lo culturalmente aceptado como bueno, a una inserción en la norma y la ilusión de pertenecer a un grupo homogéneo, de compartir experiencias con un grupo precisamente a partir del elemento que separa por antonomasia: el cuerpo. Al final, y como era de esperar, todo esto resulta ser una trampa de la representación ya que ese tipo de cuerpos está enraizado con los ritos narcisistas —incluso en los setenta asociados por Lasch[2] a nuestra cultura— que representan la nostalgia más profunda hacia el manoseado ideal doria-nesco de la eterna juventud.

Cuerpos sanos. Sólo cuerpos sanos que son sin embargo significantes de mucho más y mucho más perversos. Cuerpos que se asocian a un ideal de belleza y salud y que se integran, ahora más que nunca, en la naturaleza entendida como vida al aire libre; están pensados para la vida exterior, en pocas palabras para el territorio tradicionalmente masculino, y son anatomías de guerrero. Cuerpos que nunca dejarán de estar en forma si van religiosa-mente al gimnasio.

Pero no se trata de cualquier cuerpo. La mayoría de ellos saben que, como sucedía en el caso de las mujeres y la clase trabajadora en su lucha por alcanzar el poder, el esfuerzo no garantiza el éxito. Los cuerpos pasarán la mayor parte de su vida obsesionados por alcanzar el ideal juvenil que tiene muy poco que ver con todo lo que exteriormente se vende, ya que para estar bellos y sanos no se integrarán en la vida al aire libre, como la publicidad anuncia. La mayoría de esos cuerpos pertenecen a profesionales urbanos que consumen su existencia en la ciudad, en edificios con ventilación artificial, incluídos los lugares de culto al cuerpo; igual que los profesionales neoyor-quinos, harán una inversión de horas en el gimnasio robando tiempo al sueño para medir con cuidado cada centímetro ganado y cada centímetro perdido. La vida sana —sobre todo relajada— que promulgan esos cuerpos atléticos de los anuncios de las aguas minerales o la ropa de sport de Calvin Klein, acaba en la realidad cotidiana por ser una lucha neurótica por estar bellos.

Pero, ¿qué hay detrás de esos cuerpos? ¿Por qué una civilización entera se ha convertido en culturista? ¿Por qué esa engañosa mayoría lanzada desde la publicidad —que todos desean ser— ha escogido para sus estrategias precisamente los cuerpos que pertenecían a las minorías fuera del poder?

Sorprenden muchas cosas de estos nuevos cuerpos. Fascina en primer lugar su inconsistencia física, su acorporalidad. Son cuerpos privados de sí mismos, satinados, morenos y embadurnados en aceites, que brillan en su falsedad, son unas espectaculares anatomías inventadas en su consistencia y su color de rayos UVA. Son, esencialmente, fruto de la disciplina dentro de una sociedad que en una más de sus muchas contradicciones pretende presentarse como una civilización del placer. Igual que sucede con lo andrógino, se ofrecen como cuerpos del placer aunque sean cuerpos del

[2] Lasch, 1979.

deseo, del deseo de ser esos cuerpos. Son cuerpos que se aman tanto que acaban por descorporalizarse. No son cuerpos, son moldes para mirar(se). No son el fruto del deporte, sino su antítesis: el cuerpo no es el resultado sino el fin en sí mismo. No se tendrá un cuerpo determinado porque se practica un ejercicio físico —que desarrolla ciertos músculos— sino que se practicará el ejercicio que hará crecer esos determinados músculos. De esta forma los cuerpos de bronceado regular y músculos desarrollados metódicamente se diferenciarán de esos otros cuerpos de la clase trabajadora que obtienen resultados no programados aunque, incongruentemente, los cuerpos del poder busquen en ellos su inspiración.

Los cuerpos del poder son las anatomías del orden, del sacrificio y de la abstinencia porque estar bellos es sinónimo de estar sanos: nada de cigarrillos, ni de colesterol, ni de alcohol, ni de drogas, ni de sexo. En 1988 *The New York Times* publicaba un artículo que comentaba cómo la moda de los excesos había pasado entre los creadores de alta costura —y toda la fauna que crece a su alrededor—, "tendencia que refleja por un lado una mayor consciencia respecto a la salud como respuesta al SIDA y, por el otro, un creciente desarraigo de los excesos de los setenta y los primeros ochenta"[3]. Esa obsesión por la salud se refleja no sólo en los innumerables artículos sobre la enfermedad que aparecen continuamente en las publicaciones de todo el mundo, sino en colaboraciones concretas del periódico neoyorquino como la de Lisa Foderaro —quien comentaba cómo los jóvenes podían divertirse sin alcohol en un Studio 54 limpio de licores[4]— o la de Laura Mansnerus —hablando del tabaco percibido en el momento actual como conducta desviada[5].

Este ideal andrógino de cuerpos culturizados está inscrito en el territorio masculino —la androginia como eterna juventud— que, una vez más, ha tratado de esculpir —literalmente hablando— a la mujer a su imagen y semejanza. Es masculino además porque impone conceptos enraizados en la salud y la limpieza, contrapuestas a lo femenino que se relaciona con la enfermedad y la suciedad —tradicionalmente la mujer ha vivido en el reino de los fluidos incontrolados y la menstruación no ha sido observada como un hecho natural sino como una verdadera enfermedad. Pero es un ideal que replantea lo masculino desde lo masculino —lo hipermasculino—; un ideal que después de dos décadas de preguntas sobre qué es la masculinidad y la conveniencia de formar parte de la clase en el poder —hombre, blanco, clase media, heterosexual— y su ulterior desbaratamiento a través de acontecimientos desde dentro —como la derrota inútil en Vietnam y el posterior triunfo de lo hippy eminentemente femenino— o desde fuera —el feminismo—, trata de recrearse a partir de otras visiones de lo masculino: a través, sobre todo, de una *masculinidad otra* que pertenece a clases diferentes, a razas diferentes, a distintos hábitos sexuales e incluso a un género diferente— el del otro o el suyo propio parodiado. En el fondo, el drama de los cuerpos masculinos de los últimos 80 es que pertenecen a hombres que se debaten

[3] Hochswender, 1988.
[4] Foderaro, 1988.
[5] Mansnerus, 1988.

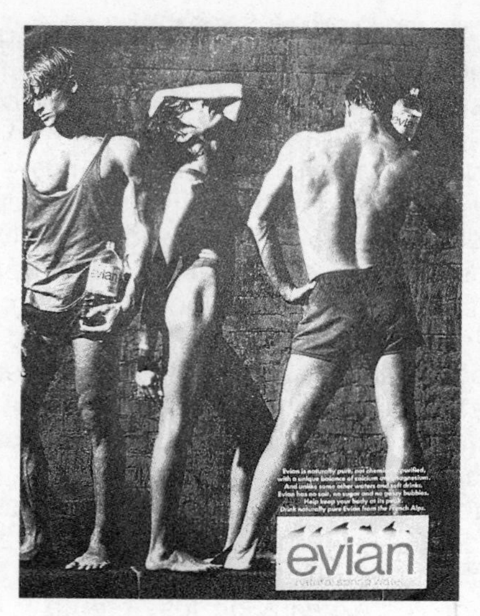

Publicidad de Evian aparecida
en *The New York Times Magazine*
a lo largo de 1988.

en el trauma del poder. Algunos —los menos— buscan la solución al dilema adoptando formas exteriores femeninas mientras la mayoría intenta recuperar aquello que percibe como la esencia de lo masculino, ergo poderoso.

Lo masculino inscrito en el poder había sido replanteado desde dentro en décadas anteriores o, mejor dicho, ciertos sectores del mundo masculino habían releído las relaciones de poder impuestas desde perspectivas inusitadas, patentizando los descontentos de algunos frente a la distribución de roles.

Esta insatisfacción no era, sin embargo, la regla como atestiguarían las ideas románticas y passé que Harold Rosenberg escribía para *Vogue* en 1967: "Ser amada puede interferir en la carrera de una mujer, pero ser amada *es* un carrera (...) Ser amada es una especie de fama. Ser adorada por una sola persona no es distinto de ser adorada por el público. Ser amado y ser famoso son intercambiables psicológicamente"[6].

Afortunadamente no todos los hombres fueron tan conformistas en los 50 y 60 —personalmente prefiero la guerra al paternalismo. Algunos, incluso desde una posición leída como antifeminista —el uso del cuerpo femenino como lugar sólo sexual— se rebelaron contra los ideales impuestos de roles bien determinados, los logros, la madurez y la responsabilidad tan en voga en esas décadas, como plantea la tesis de Ehrenreich. Cuando en 1953 *Playboy* sale a la calle todos piensan que es una revista sobre mujeres, por hombres y para hombres. Pero en realidad es una reivindicación masculina de la recuperación del espacio arrebatado al hombre, el espacio interior. El hombre, siempre deportista, al aire libre, reivindica su derecho a lo interior: "a Picasso, a Nietzsche, al jazz, al sexo"; en pocas palabras, a su casa: "NOS

[6] Rosenberg, 1967.

Publicidad de Calvin Klein aparecida en *The New York Times Magazine* a lo largo de 1988.

gusta nuestro apartamento"[7]. Las fotografías de mujeres desnudas funcionan en definitiva como metáfora de la heterosexualidad de unos hombres que han trasgredido el territorio metahistórico. Ellos se rebelan sobre todo contra la idea de la familia y el padre de familia abocado a ganar el pan, revisando el concepto de poder que conlleva numerosos aspectos negativos —como exceso de trabajo o *stress,* en ese momento puesto de moda por el Doctor Hans Selye y que se asociaba sobre todo al hombre.

Evidentemente, las estrategias de estos hombres fueron erróneas al oponerse a las mujeres que eran igualmente víctimas y al basar sus antiestrategias en algo que, sin duda, perpetuaba lo establecido: el consumo. Su filosofía última era por qué mantener a una esposa si se pueden *comprar* muchas mujeres. El mensaje era *escapar* de la mujer y pretendían hacerlo comprándola, gastando como quisieran el dinero que ganaban. Dicho de otro modo, ponían sobre el tapete la misma idea de siempre: quién gana el dinero, quién lo tiene, quién puede realmente hacerlo circular. Los chicos de *Playboy* se rebelaban contra el sistema pero pretendían hacerlo comprando a las mujeres. De esta forma su propuesta consumista sustentaba aquéllo contra lo cual en última instancia luchaban: el sistema y sus presiones. Era el sistema el que los incitaba al consumo, que a su vez hacía de ellos los responsables de proveer a la familia de bienes materiales, siendo ésta la causa última del *stress.* El resultado final del proceso, por la confusión entre realidad y proyección, se lee inserto en la clásica incoherencia de lo masculino que se manifiesta en las invenciones de lo femenino: cuando estaban sexualmente liberadas, las querían moralistas; cuando las tenían dominadas las querían rebeldes y luego, cuando por fin eran rebeldes,

[7] Ehrenreich, 1983, 440.

volvían a desearlas dominadas. Las relaciones de género son, sobre todo, profundamente confusas desde las dos perspectivas. Todos los disidentes se han dedicado históricamente a enfrentarse en guerras idénticas convirtiendo en enemigo a aquél que podría haber sido aliado natural. En el caso masculino es aún más imperdonable ya que desde la posición de poder hubiera sido más fácil el acercamiento.

Cuando los *beat* llevan esa rebelión contra las responsabilidades a sus extremas consecuencias negándose a integrarse, convirtiéndose en homosexuales[8] y expresando su pasión hacia los valores raciales —*black is beautiful*— y de las clases fuera del poder —que el cine recoge en *Rebelde sin causa* o en las películas de Brando— se están replanteando lo establecido, roles incluídos, pero terminan no atajando directamente el mal y expresando su descontento a partir de la exclusión o dominio del vehículo y no causa de los problemas, la mujer.

Su rebelión preparaba en todo caso el territorio para los cambios de los 60 que según Jay Stevens[9] innovan todas las facetas de la existencia a través del "impacto de drogas, sexo, rebelión, política, música y arte"[10]. Esos años se caracterizan por una voluntad de cambio que se cifra, como explica Roszak, en todo lo "anti" —anticulturas, antiuniversidades, antipoesía, antiteatro[11]— y simbolizan un replanteamiento del ego, que también se manifiesta en la experiencia psicodélica que no es —o no es sólo— una forma de escapar sino "un medio químico limitado que tiende a una finalidad psíquica mucho mayor, más concretamente, la reformulación de la personalidad, sobre la cual la ideología social y la cultura suelen estar sustentadas"[12].

Casos como los del *Playboy* o los *beats* eran también intentos de recodificación de lo masculino —y consiguientemente de lo social y lo cultural— que experiencias como el Vietnam —una derrota americana que acaba siéndolo de los valores masculinos de toda la sociedad occidental— agudizan por derrotar definitivamente el mito de la virilidad invencible: el ejército americano no sólo es vencido sino que es vencido después de matar mujeres y niños para sobrevivir, pues se encuentra ante un tipo de seres débiles capaces de matar como hombres.

Esta derrota es, sin duda, uno de los factores desencadenantes para el nacimiento de la contracultura de los 60, más cercana a los femenino: lo *hippy*. En las estrategias de androginización lo hippy pasará a la historia como un acercamiento andrógino que toma formas femeninas —tanto exteriormente como en cambios de comportamiento. Los hombres se ponen flores y deciden vivir cerca de la naturaleza, apuestan por una sociedad no competitiva y dejan que el pelo crezca y la ropa los confunda. Tal vez por esa influencia oriental, que tan de modo se puso durante los últimos sesenta y la primera mitad de los setenta, se buscaba sobre todo una imagen asexual, de guru, y por lo tanto en teoría carente de poder material explícito.

[8] Para D'Emilio y Freedman (1988, 12-13) esa es la mayor rebelión y citan los poemas homosexuales de Gingsberg.

[9] Stevens, 1988. Todo el número de *Witness* dedicado a los sesenta resulta muy esclarecedor. También es interesante la sección especial de *The Village Voice* (8 de marzo, 1988).

[10] Stevens, 1988, 121.

[11] Roszak, 1969, 45.

[12] Roszak, 1969, 26.

De hecho, el movimiento se cuestionaba en primer lugar el concepto mismo de poder y a través de éste el género, la raza y, sobre todo, la clase. La edad, otro distintivo social, también acababa por obviarse: cualquiera podía ser hippy y, así, durante esos años muchos profesores de las universidades californianas —uno de los lugares donde el movimiento tuvo más auge— lo abandonaron todo para convertirse a un ideal que en el fondo era el explotado ideal de eterna juventud, libre de toda responsabilidad impuesta desde la sociedad bienpensante[13]. Se revisaba el concepto de madurez, el traje de ejecutivo y la familia que se sustituían por un nuevo tipo de vida materializado en las comunas y la ropa unisex.

En los 60, y coincidiendo con el desarrollo feminista, la mujer se libera de la ropa interior que durante siglos se ha manifestado como símbolo fetichista masculino por excelencia. Desaparece la ropa interior elástica y se declara la guerra abierta al sujetador, que divide a esa generación y a la posterior de los setenta en mujeres liberadas o no por el simple hecho de renunciar a esa prenda o seguir llevándola. En todo caso, los cuerpos de mujer libre representaban, como explica Wilson, una curiosa duplicidad: "un rechazo de la belleza definida desde lo masculino y su aceptación; honestidad y provocación"[14]. La moda masculina expresa por su parte una de las rarísimas feminizaciones en su historia; de hecho, "las túnicas hippies y el pelo largo de los sesenta representan una de las pocas formas de esa transformación radical (aunque) esos cambios llegaron sólo a un subgrupo bastante reducido", explica Rosalind Coward[15]. Esto es sólo relativamente exacto ya que los cambios que generan los hippies, tal vez por el aspecto amable de su postura, se popularizan entre una gran mayoría de personas cuando el fenómeno se institucionaliza en los años 70. La reacción verdaderamente curiosa de esa indiferenciación de género a partir de la ropa aparece en los ochenta cuando la moda unisex deja de ser un replanteamiento de los cánones y se convierte en un aceptado distintivo de clase para las parejas heterosexuales que, como explicaba Menkes hace algunos años[16], no ven en la moda unisex un ataque a las relaciones de género sino una reafirmación de clase, de la homogeneidad de la clase media. La moda sin formas marcadas de los japoneses como Issey Miyake —que viste a las modelos de alta costura como si se tratara de "alta costura nuclear"[17]—, los diseños de los ochenta de ropa interior masculinizante para la mujer de Calvin Klein —interpretados como una masculinidad diluida[18]— que son explotados por publicidades como la de Giulio o la ropa de sport de la firma finlandesa Marimekko multiuso/unisex —afianzan el mito de la igualdad que, en el fondo se cifra en ese pertenecer a una clase. Dos décadas después de la revolución de los sesenta los hombres y las mujeres de esa clase pueden intercambiar sus prendas no sólo porque llevan la misma ropa sino porque sus cuerpos idénticos les permiten hacerlo. Pero esa ropa es eminentemente

13 Ehrenreich, 1983, 109.
14 Wilson, 1987, 106.
15 Coward, 1985, 30.
16 Recogido por Wilson, 1985, 203.
17 Reed, 1984, 20.
18 Eso es lo que comenta Kolbowsky, 1984.

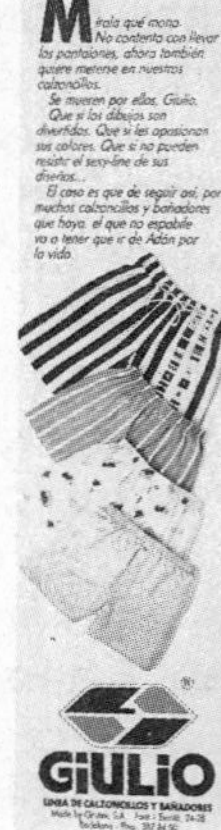

Publicidad de Giulio aparecida
en la prensa española a lo largo
de 1987.

para hombre: más que de la disolución de lo masculino se podría hablar de la disolución de lo femenino secundario, de su eliminación.

La opinión de Coward respecto a esas supuestas liberaciones femeninas a través de la ropa está justamente cargada de sospechas puesto que situa esos cambios en la mujer en el ámbito de los "atrevimientos": es la mujer que desde los 60 se atreve a cualquier cosa, en los 70 a ponerse incluso la ropa de sus amigos, como muestra la protagonista de *Annie Hall,* e inteligentemente Armani reconduce a su terreno con una moda androginizante. La mujer de los 70 y primeros de los 80 es, de hecho, la heredera de esas chicas de los 60 que se atrevían a cualquier cosa "y por eso atraían a los hombres", explica Coward[19]. Pero es una androginia cargada de trampas: el aspecto de esa mujer liberada que lleva ropa masculina —en parte porque es más barata y más cómoda— acaba por ser el de una niña que se ha puesto la ropa de su padre y así, en lugar de representar la esperada independencia, refuerza la consabida pasividad. No busca la aprobación de los hombres, pero ellos acaban por aplaudir a las andróginas —o inventarlas, en el caso de Armani— porque son, sobre todo, niñas desvalidas.

A pesar de los resultados desalentadores, dos décadas más tarde el movimiento hippy resulta interesante por su rara basculación hacia lo femenino. Ser femenino —vestirse incluso de mujer— no es para la cultura hippy una forma de ridiculización o supervivencia, como muestra el cine anterior al *underground;* no es la expresión de lo temido e inalcanzable que las reinas del travestismo retoman en sus caracterizaciones de Mae West, sino una aceptación de los valores femeninos tradicionales por parte del hombre —niños, naturaleza, trabajos manuales— y un rechazo de lo tradicional

[19] Coward, 1985, 35.

masculino —poder, ambición, logros personales, vida social. En el fondo, el movimiento que nace en los 60 y se vulgariza en los 70 replantea los valores de los años 50: la familia encerrada en sí misma, la competitividad, el trabajo como valor, conseguir llegar a la cima, la salud, la limpieza, el poseer. Se replantea todo aquello que se construye en la década anterior sobre una dicotomía de roles inamovibles.

De todos modos no hay que llamarse a engaño ni pecar de excesivo entusiasmo. La revolución hippy es la de unos hombres que están en desacuerdo sobre todo con las presiones impuestas a lo masculino durante las décadas anteriores, obsesionadas por producir hombres responsables. Los hippies representan la negativa masculina a ser héroes y como estrategia de protesta adoptan la actitud de lo que tradicionalmente se entiende como femenino —tal vez porque creen que las mujeres viven mejor, igual que lo creían sus antecesores de *Playboy;* de ahí la vuelta a la naturaleza, a los trabajos manuales y a los hijos y la sustitución de la familia mononuclear por una familia cósmica, con responsabilidades relativas y compartidas.

Pero, ¿qué revolución real se verifica en los hábitos de las mujeres? Estas permanecen en su territorio metahistórico, cuidando de los hijos y haciendo trabajos manuales. Es cierto que están liberadas sexualmente —en ese momento pueden mantener relaciones sexuales abiertas y dejan de *pertenecer* a un solo hombre— pero la buena prensa que tienen los niños las convierte en madres universales de infinitos niños comunitarios. La mujer no cambia su papel, lo que cambia es la percepción de los valores femeninos/masculinos tradicionales en detrimento de los segundos. De ahí el interés de la androginización hippy, sin entrar ahora en la politización del movimiento, dentro del cual —o paralelamente— tuvo también gran importancia el feminismo de los sesenta. Es uno de los pocos movimientos de la historia moderna en el que los hombres luchan por conseguir los supuestos derechos de las mujeres. Pero al tratarse de un movimiento masculino es posible comprobar, en una segunda mirada, que defiende la estrategia última masculina: no dejar de ser jóvenes jamás. En el fin de siglo se impone el ideal de hombre que no envejece en su aspecto exterior —Dorian Gray—; en los 20 el ideal que se comporta como un joven sin ataduras. Los años 60 retoman ese doble ideal uniéndolo a la perpetua irresponsabilidad.

Todo esto plantea en primer lugar una cuestión llamativa: si esos hombres quieren dejar de ser responsables y para lograrlo deciden adoptar los hábitos que consideran femeninos, quiere decir que desde lo masculino lo femenino tradicional es percibido como lo irreflexivo, la vida cómoda. En todo caso el movimiento hippy es interesante como replanteamiento de algo muy discutido en este momento, si es bueno o no ser poderoso, por qué es mejor ser fuerte que débil, tener que no tener.

Pero, a pesar de que los *roles* sean sólo culturales, los hábitos de género imponen ciertas reglas y una de las más banales es el tiempo que las mujeres deben dedicar a su arreglo personal: las horas ante el espejo para estar bellas. Si aceptamos la práctica de someter al propio cuerpo como una práctica femenina habitual a través de los siglos, el proceso de construcción de los músculos resulta desde los cánones aceptados menos extravagante en las mujeres que en los hombres (heterosexuales), tradicionalmente poco proclives al culto al propio cuerpo.

Las mujeres han pasado su historia prendidas del cuerpo, no sólo sometiéndolo a cambios violentos a medida que variaba la moda, sino a cambios estructurales en sus propios deseos. La historia de las mujeres es la historia del cuerpo, de la magia del cuerpo, de un cuerpo que los hombres han imaginado inexplicable y que han descrito a lo largo de la historia según su humor. No obstante, el cuerpo femenino es el máximo lugar de la desposesión, de la acorporalidad porque nunca le han permitido existir por sí mismo sino en contraposición o como complemento al masculino. En este momento los cuerpos femeninos se ven obligados a desarrollar los músculos pero no hay una diferencia espectacular entre someterse a corsés o dietas o a procesos de ese tipo.

Contrariamente, los hombres nunca han sometido sus cuerpos o los deseos de sus cuerpos, nunca han poseido ese cuerpo acorporal que es el lugar de la transformación. El cuerpo masculino, al menos el de la clase media —ha sido un cuerpo estático, el mismo cuerpo durante siglos. Y no deja de llamar la atención que los nuevos cuerpos culturizados, antes de su ascenso entre los profesionales urbanos, hayan pertenecido a dos clases desclasadas: la clase trabajadora y la homosexual. De este modo, los cuerpos musculosos no son sólo reflejo del ideal de cuerpo joven sino que explicitan la nostalgia hacia esos cuerpos —los de la clase trabajadora desposeída del poder— que desde la perspectiva masculina ha podido permitirse a lo largo de su historia muchos más excesos y menos contención que son los cuerpos de la clase media[20].

Durante años hemos vivido pensando que el hombre blanco, heterosexual y de clase media lo tenía todo, pero los individuos de ese grupo han manifestado sus carencias, sus miedos, sus nostalgias, sus opresiones de una forma tonta: a través de un cuerpo que no era el suyo, a través de un cuerpo que históricamente pertenecía a otro. La llamada crisis de la sexualidad masculina también ha contribuido a esta reacción, ya que los hombres de la clase media se han sentido responsables frente a los errores históricos de los propios cuerpos con respecto a los cuerpos femeninos. Cuando el neofeminismo reivindica una sexualidad femenina desde lo femenino y no una sexualidad masculina impuesta, esos hombres se sienten incómodos ante los conceptos inventados por su clase. De este modo, deben replantearse una nueva sexualidad —la nueva sexualidad de la clase media— y miran con nostalgia la sexualidad clásica, donde los hombres imponen las reglas, que ellos adivinan como supervivientes en la clase trabajadora. Estará asociado a eso que han dado en llamar la crisis de la masculinidad.

Pero, ¿qué es esa crisis de la masculinidad de la que hablan el cine, el teatro, el arte, la publicidad? Supongo que un día las mujeres decidieron entrar al mundo de los hombres y aprender las reglas del juego y luego sospecharon que, tal vez no había sido decisión propia sino que lo habían hecho porque los hombres se lamentaban constantemente de tenerlas que mantener, al menos eso decían. Como amas de casa habían sido las primeras en levantarse y las últimas en acostarse pero al final de su vida ni

[20] Discutido en Ehrenreich, 1983, 132 ss., y Brandon, 1985, 297 ss., Jezer, 1982, 225, habla del ejemplo de dos maridos de la clase trabajadora a los cuales les resultaba más fácil expresar sus emociones o enfadarse con su familia que a un marido de la clase media.

Publicidad de Charlie aparecida
en la prensa española a lo largo
de 1988.

siquiera tenían derecho a la pensión. Ellos se *stressaban* en el agresivo mundo de los hombres —fuera— y ellas se deprimían dentro, la depresión es otra forma de *stress* —rodeadas por montones de ropa sucia que una voz en *off,* masculina, veía como una broma fácil de resolver con un determinado detergente. A lo largo de la historia habían sido además pluriempleadas —dentro del hogar o fuera— realizando trabajos a menudo mal remunerados. Como dice Anderson en *Beautiful Red Dress* "Por cada dólar que gana un hombre/una mujer gana 63 céntimos./Hace 50 años eran 62./ Con un poco de suerte en el año 3888/llegarán al dólar".

"Ahora sé lo que quiero", dijeron las mujeres. Y ambos deseos resultaron ser diferentes. "No puedo ser tantas cosas", decía Eva Hesse en los 60. Las mujeres siempre han tenido que serlo absolutamente todo: madres, esposas, profesionales con responsabilidad y uñas impecables y si algo falla, falla todo. La publicidad las ha pintado en esta década siendo todo, como la horrible publicidad del aceite Elosua o la de Charlie, que muestra a una mujer con aspecto de ejecutivo dando un azote a un hombre —¿su secretario? ¿Quién tiene gana de ir por ahí dando azotes? Estaban tan cansadas que el marido ideal de una mujer acababa por ser ella misma vestida de novio, como muestra la propaganda de Pronovias —"claro que puedo ser todas esas cosas".

Las mujeres han dividido su tiempo entre Rambo y Peter Pan, ahora fundidos en esos hombres que, como decía el *New York Times* en una crítica a varias obras de teatro que retomaban el problema de género, "cocinan y dicen palabrotas"[21] o esos hombres que la publicidad presenta cuidando de unos niños guapos e impecables. ¿Es que los hombres también van a verse obligados a serlo todo o tratan de hacerse los amables con las madres de los

[21] Kimmelman, 1988.

Publicidad de Pronovias aparecida en la prensa española a lo largo de 1989.

niños? ¿No se han convertido ahora los hijos en un atributo sexual de los hombres seductores?[22] La capacidad de la sociedad para reciclarlo todo es infinita pero convendría recordar que los hombres no son poderosos sino que el poder es masculino.

Tal vez por eso el destino de la androginia femenina ha sido tan triste. Como decía Coward la mujer recibe una respuesta sexual incluso cuando no la busca y, de este modo, lo que en el fin de siglo fue una protesta contra lo masculino, y posteriormente una invocación a algún tipo de rebelión o de transgresión de metaterritorios —aunque fuera para entrar en los bares y fumar—, se ha convertido en los 80 en un ideal impuesto que, incluso en aquella que podría ser la versión más cercana a las rebeldes Nuevas Mujeres del XIX, las feministas, es para Baudrillard un tipo de seducción que seduce por ser la antiseducción o por lo que tiene de masculino. La publicidad las presenta *sexy* pero echándose pulsos, y los programas televisivos las presentan luchando, esos cuerpos sin cuerpo en una lucha sin golpes, la falsa lucha que es en realidad una presentación de los cuerpos sin sustancia, sólo trágica representación del deseo del otro.

La desorientación masculina ha ido creciendo ante los nuevos imperativos femeninos, para acabar expresando su estupor a través de unos falsos deseos del otro que una vez más ha inventado. Los hombres han soñado con un sueño que han atribuido a lo femenino: toda mujer desea ser poseida por un hombre viril, los cuerpos masculinos de la clase trabajadora que se han presentado siempre como cuerpos fuertes en virtud del trabajo que ejercen. Se trata una vez más de la proyección de las inseguridades masculinas

[22] *La mujer en la publicidad,* 1990.

Publicidad de Ralph Lauren
aparecida en la prensa americana
a lo largo de 1988.

incongruentemente creadas desde lo masculino. Después de la labor concienzuda de sexualización de las mujeres en los 60, los hombres observaron, como en los años 30, que se habían pasado en la dosis y temieron no ser capaces de estar a la altura de su propia creación. De este modo, igual que las jóvenes japonesas, miraron hacia Brando y soñaron con ser como él. No sé bien si los hombres han deseado ser andróginos y comprensivos para acercarse a la mujer y sus deseos, o si han tomado esa postura simplemente aterrorizados ante la posibilidad de no llegar a ser los duros que sueñan con ser —y que interesan tan poco a la mayoría de las mujeres.

Pero antes que los blancos heterosexuales de clase media volvieran los ojos hacia Brando —como el *kata* masculino— los *gay* se reconvertían a la imagen que Ariès define como "machista, deportiva, superviril, aunque conserve rasgos adolescentes, como la cintura estrecha (...) el tipo físico del motorista enfundado en su mono de cuero, con un aro en la oreja, un tipo, por lo demás, común a toda una clase sin edad, sin que se denote ninguna sexualidad concreta— un tipo de adolescente que incluso resulta atractivo para la mujer"[23]. Wilson lo justifica diciendo que lo efébico envejece mal[24] pero ya se ha explicado que tal vez fue una estrategia, una reacción contra lo masculino heterosexual que se había efebizado.

Lo curioso es que los hombres de la clase media tomen prestados ideales contraculturales o de la clase trabajadora como modelos de homogenización burguesa. No se puede leer este caso como un replanteamiento genuino de lo establecido sino como una forma de nostalgia; la mirada se halla más bien

[23] Ariès, 1987, 105.
[24] Wilson, 1985, 202.

Publicidad de Airoldi aparecida
en *Gioia* en diciembre de 1986.

ante una de las muchas contradicciones contemporáneas pues no se trata sólo de la recuperación de unos cuerpos masculinos —pertenecientes a unas clases que la cultura en el poder desecha— sino de un ideal que reune esas características del hombre del Paraíso —la inmortalidad, la espontaneidad y la libertad y, sobre todo la inmortalidad[25]. La obsesión por la salud y la eterna juventud —miedo a la muerte— en este momento histórico reconducen a ese deseo de volver al origen y recuperar la autonomía, la fuerza y la totalidad que corresponden al estadio andrógino anterior a la Caída, si bien se trata de esa degradación que Eliade describe al hablar de los andróginos fin de siglo: "Como en todas las grandes crisis espirituales de Europa, nos encontramos aquí en presencia de una degradación del símbolo. Cuando el espíritu ya no es capaz de percibir la significación metafísica de un símbolo, éste es entendido a niveles cada vez más groseros. Para los escritores decadentes el andrógino significa únicamente un hermafrodita en el cual los sexos coexisten anatómica y fisiológicamente. Ya no se trata de una plenitud debida a la fusión de ambos sexos, sino de una superabundancia de posibilidades eróticas"[26].

Pero si ser eternamente joven es improbable, parecer eternamente joven es caro. Estas son las claves para entender el fenómeno: por una parte vivimos en una sociedad donde no es importante ser joven sino parecer joven, y por la otra se retoma como propuesta de esa aparente juventud un ideal de clase que se quiere presentar como liberador pero que, contradictoriamente, en lugar de reducir las diferencias entre ricos y pobres o blancos y negros las aumenta —sólo la minoría en el poder dispone del dinero necesario para mantenerse en forma. Un artículo aparecido en *New York*

[25] Eliade, 1960, 59.
[26] Eliade, 1984, 126.

Publicidad de Boss aparecida en
Vanity Fair en marzo de 1990.

Woman[27] hablaba de los tremendos gastos que tenían las profesionales neoyorquinas en peluqueros, masajistas, gimnasios, para tener un aspecto "juvenil, en forma, vital y esas dos palabras mágicas —bajo control" y cómo ellas no veían salida porque si su aspecto no era el requerido corrían el riesgo de perder su empleo. Sin duda esta es una de las mayores contradicciones: a la mujer se le permite entrar al mundo del trabajo pero se le sigue exigiendo mantener la diferencia, *ser femenina.* Como comenta en una de las entrevistas Andrea Robinson, "a las mujeres se las castiga por su aspecto, mientras los hombres pueden llegar lejos vestidos con un traje de paño gris". Es el mismo tipo de contrasentido que plantea la publicidad de Boss: cuatro hombres vestidos con corbata aparecen junto a una mujer con chaqueta de corte masculino y una flor en el pelo. La pregunta es, quién es realmente el *jefe,* porque el jefe suele ser único. La primera tentación —y con eso juega el anuncio— es pensar que la mujer es el jefe, aunque también es posible que se trate sencillamente de una secretaria solícita.

La discusión de Chapkis[28] sobre el tema confirma todo lo anterior: al final el hábito hace al monje. Ella explica que "la ropa es el éxito" y de hecho esa ropa clasifica a la gente "entre la gente importante y aquellos que son visiblemente superfluos"[29]. Esa ropa —esos cuerpos— generan una agradable sensación de seguridad y la autora explica que por esa razón los medios han escogido como su imagen predilecta "los cuerpos aeróbicos y la ropa cara que expresan confiadamente la salud física y económica"[30]. Los medios los

[27] Orth, 1988, 42.
[28] Chapkis, 1986.
[29] Chapkis, 1986, 81.
[30] Chapkis, 1986, 83.

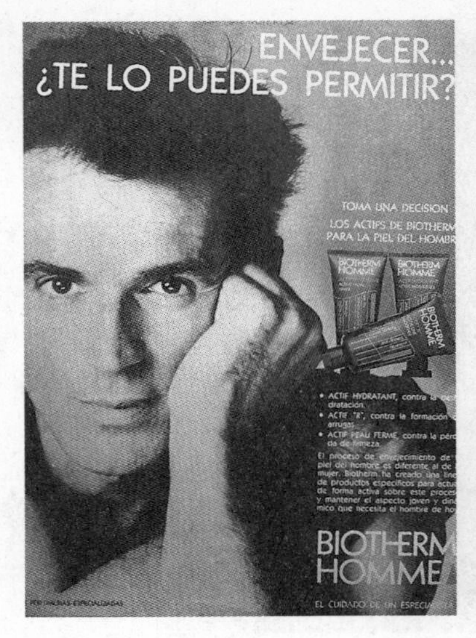

Publicidad de Biotherm Homme aparecida en la prensa española a lo largo de 1986.

Publicidad de Waterford aparecida en la prensa americana a lo largo de 1987.

crean o los medios los lanzan, es irrelevante. Lo esencial es que esos cuerpos saben que pertenecen a una élite que el portero reconocerá en la puerta del local de moda. La mayoría desea pertenecer a la élite y la integración se ha explotado a la hora de vender cambios radicales en el aspecto —esencialmente para mujeres aunque hoy en día también para hombres— que conllevarán cambios radicales en la existencia. Hay que tener el aspecto correcto para pertenecer a ese círculo, que aun tomando formas de otras razas, otras clases y otros hábitos sexuales, sigue siendo clase media, blanca, heterosexual. De hecho, la raza puede ser un obstáculo y la gente de color que de verdad quiere alcanzar el éxito se le aconseja que trate de aclarar la piel[31].

La parodia de esas presiones para ser perfecto llega a su expresión consciente en los bailes que organizan las comunidades travestis donde se busca "the realness" —lo más auténtico: el hombre que mejor hace de mujer, o el hombre que mejor hace de hombre, etc. Como dice Jennie Livingston "los *roles* sexuales e incluso sociales se convierten en una autoexpresión, autoexploración e incluso una autoburla"[32]. Uno de los ejemplos más extraordinarios ha sido fotografiado por Livinsgton: en la instantánea aparece un grupo de personas de color, uno de ellos travestido de alta ejecutiva. En el fondo no hay diferencia: los cuerpos que aceptamos como reales son también su propio disfraz, cuerpos de viejos que parecen jóvenes y cuerpos de ricos que parecen pobres.

Ciertamente, en la sociedad de los 80 ha predominado el disfraz de todo tipo, a pesar que lo individual ha ido dando paso paulatinamente a lo

[31] Chapkis, 1986, 89, recoge la propaganda de un producto, *Clere,* que aparece con frecuencia en las revistas dirigidas esencialmente a mujeres africanas.

[32] Livingston, 1990, 10.

Jeannie Livingstone, *Pepper Labeija Fem Queen Executive Realness,* 1985.

estereotipado, tal vez a través de las representaciones de los medios que apelan, esencialmente, a los arquetipos del inconsciente colectivo. El disfraz ha pasado del escenario del teatro a la escena cotidiana y no se limita a lo puramente externo sino que acaba por modificar la conducta. El entorno social durante la pasada década ha sido altamente ambiguo, basta dar una ojeada a los cantantes pop o las campañas publicitarias —que explotan descaradamente esa indefinición— para notar cómo las imágenes intercambiables, sexualmente poco definidas, han sido aceptadas y potenciadas como normales dentro de la iconosfera urbana. Las peluquerías que hace veinte años se anunciaban ostentosamente como "unisex" buscan ahora atracciones adicionales[33], ya que el que fuera su atrevido reclamo de los 60-70 no llamaría hoy la atención de nadie: ahora no se elijen los peluqueros por aspectos relacionados con lo sexual —o asexual—, sino por toda esa oferta añadida a la función primaria del establecimiento: cortar el pelo. Se podría argumentar, sin embargo, que este ejemplo no es del todo válido al referirse a un grupo social reducido —jóvenes a la moda— pero si observamos una ciudad occidental a la hora en que sus habitantes marchan al trabajo veremos, ya sin sorpresa por cierto, la superabundancia de trajes con corte masculino y pantalones entre esas mujeres que ya no se quedan en casa y para quienes estas prendas son la forma lógica de vestir. Si acabamos nuestro paseo en unos grandes almacenes seremos asaltados por jóvenes altos y bien vestidos compitiendo con señoritas perfumadas, todos protagonistas de una lucha en dos frentes —masculino y femenino— por vender esos productos de belleza, antes prerrogativa de las señoras, y que en este momento han accedido a la esfera de los hombres en una sociedad donde priman la belleza y la juventud artificial, de ciencia ficción.

[33] La cadena de peluquerías de Nueva York *Dramatics* ofrece entre las funciones al uso —lavar, cortar, peinar, etc.— "entertaiment" como reclamo adicional.

Precisamente esa es la imagen que se busca, una imagen que parece joven, una imagen en la que el trabajo y la dedicación han sido capaces de vencer al tiempo. No se trata de jovencitas sino de mujeres maduras que han sabido engañar a los años y que la publicidad enfrenta con unas hijas que parecen hermanas. Cuando van juntas por la calle reciben un igual número de hipotéticas miradas porque las dos usan el mismo tipo de producto —tinte para pelo o desodorante— pero que en realidad son percibidas de ese modo porque hacen pactos con el diablo, que en la sociedad contemporánea se llama salón de belleza.

A las mujeres se les ofrece placer en todo lo que se presenta a su disposición. Como comenta Coward, "placer si siguen una dieta, placer si preparan una cena maravillosa, placer si siguen su instinto natural, placer si adquieren algo nuevo —un cuerpo nuevo, una casa nueva, ropa nueva, una nueva relación"[34]— aunque al placer le siga la culpa. El cuerpo de la mujer madura debe ser el cuerpo de una eterna adolescente, sin grasa, sólo permitida en el área de los senos —dice la autora muy irónicamente que los hombres no soportaban esa privación material (ah ah ah doctor Freud)[35]. Nada nuevo en cuanto a presiones femeninas. Sólo han aparecido algunas nuevas con el final de la década como la recuperación de la minifalda a la que se dedicaba un suplemento especial de *The Village Voice* con un título irónico: "Are You Psychologically Fit to Wear a Miniskirt?"[36].

El cuerpo de la mujer ha sufrido más canonizaciones que el de los hombres para los cuales hasta hace poco todo valía —el hombre como el oso cuanto más feo más hermoso. Nunca se hubiera comentado de un hombre lo que se decía en el diario *El País* de Christian Sebastian, "la antimodelo que alborota las pasarelas (...), de figura grande, negra, (...) mirada asustada y fija, el pecho hundido"[37]. No obstante, los hombres de la clase media han visto en los últimos años crecer las presiones y todos han querido ser —aunque sea durante el consabido cuarto de hora— el fabuloso y aventurero hombre de Camel. Rosenberg comentaba en *El estilo y el culto de la masculinidad,* un artículo de 1967[38], cómo esa aventura contemporánea era algo ficticio pues situaba en el mismo nivel un paseo por la Riviera y una cacería en Kenia: los peligros reales se habían disipado y nada estaba lo suficientemente lejos. El crítico decía que la vida al aire libre y la vida dentro de casa —inseguridad y seguridad— habían dejado de existir, que sería tanto como decir que los territorios metahistóricos habían dejado de estar separados. Rosenberg se planteaba qué había pasado con los héroes de toda la vida para

[34] Coward, 1985, 13.

[35] Coward, 1985, 41.

[36] En 1987 aparece una encuesta tremenda, "Are you Psychologically Fit to Wear a Miniskirt?", donde se hacen varias preguntas como "qué piensas cuando ves a una chica rubia, de pelo largo y piernas que le llegan al cuello: a) Demonios, Natalie ha engordado un poco (...) b) La odio, por qué no se muere? No, eso no es propio de mi. ¿Por qué no voy a comprarme un kaftan? c) ¿Qué hay de nuevo?", etc... Si se ha contestado sobre todo "a" es mejor no comprar la minifalda. Si hay más "b" se puede comprar alguna y si todas son "c" —hipercríticas con uno mismo— se pueden comprar todas las minifaldas que se quieran. Además de la encuesta hay una ilustración aterradora en el más puro estilo hispano.

[37] "Christian Sebastian. La antimodelo que alborota las pasarelas", 1990.

[38] Rosenberg, 1967.

Are You Psychologically Fit To Wear a Miniskirt?

BY CYNTHIA HEIMEL

Each time a startling new clothing trend hits the streets, psychologists' offices become flooded with disturbed women. In 1983, when the Japanese designers ran riot, therapists reported a 20 per cent increase in women experiencing gender disorientation and severe sleeve displacement anxiety. Similarly, experts warn the miniskirt could pose grave emotional risks for certain personality types. You? Take this quiz:

3 • VOICE FASHION SUPPLEMENT • SEPTEMBER 29 • 1987

1. When I think about my knees I . . .
   a. Become suffused with a feeling of euphoric well-being.
   b. Feel nothing much, really. Well, I haven't actually looked at my knees lately, but I'm sure they're totally fine, because I do all kinds of knee lifts, so those funny lumps just on the inside of the kneecap are definitely gone by now, I know it.
   c. Want to slash my wrists amd throw myself under a train.

2. When construction workers yell obscenities at me, my immediate reaction is . . .
   a. I feel a genuine pity for those pathetic creatures.
   b. I don't know, I guess it's really disgusting and all, and I don't pay attention except last week when some guy yelled, "Oooo Mama, I could make you feel like the woman *you want to be*!" and I just had to look to see if he was cute.
   c. I look behind me to see who they are shouting at.

3. My thoughts on liposuction are . . .
   a. It's not fair that a person with naturally good legs should lose her God-given advantage.
   b. Does it cost too much? Does it hurt? Didn't somebody die once? Does the fat grow back? What do they do with it after they've sucked it out? Can you sue if they make you lopsided?
   c. What's the use?

4. I see a miniskirted girl with long blond hair and legs up to her neck walk toward me and I think . . .
   a. Gee, Natalie's gained some weight, what a shame!
   b. I hate her. Why doesn't she just die? No, that's mean of me, I'm bigger than that. Too goddammed much bigger. Oh, Christ, I think I'll go and buy a caftan.
   c. What else is new?

Scoring: If you answered mainly a's, never wear a miniskirt, since you are not a real girl.
If your answers were predominately b's, buy one miniskirt just in case one day you're feeling sort of groovy and horny and in one of those devil-may-care moods. It'll probably just hang there in your closet with its price tag staring reproachfully at you, but what the hell.
If even one of your answers was c, spend your entire bank balance on the shortest, cutest miniskirts you can find. Their fresh and optimistic statement could possibly shock you out of your abject misery.

Ilustración a un artículo aparecido en *The Village Voice* (Nueva York) en 1987.

concluir que "la Masculinidad es un mito que se ha convertido en una comedia"[39].

Hoy parece claro que los hombres han estado y siguen estando también sometidos a presiones, aunque ellos representen el poder, aquello socialmente aceptado. Mark Gerzon se pregunta cuáles son esos héroes postfeministas, cuáles son los nuevos héroes de la confusa América post-Vietnam —ir o no ir parecían en ambos casos opciones heróicas. Y decir héroes de América es casi tanto como decir héroes occidentales colectivos[40].

Existe una crisis de los valores masculinos, de eso no cabe duda, pero lo que realmente llama la atención en el caso de los hombres es que sus revoluciones se hayan basado en la reapropiación de los valores impuestos que los han perturbado durante siglos; sorprende su incapacidad de volver la mirada hacia otras opciones distintas a su esencia cultural, persistir en la nostalgia del ideal con el que Vietnam acaba —tal vez eso explique el entusiasmo por una guerra como la del Golfo que ha servido para limpiar el honor masculino occidental.

Al mismo tiempo que se ha relanzado la imagen de lo supermasculino de siempre, reconvertido a hiperreal, la publicidad ha potenciado la visión del hombre como padre feliz, colaborador en casa —algo torpe, también es cierto— y, sobre todo, se ha lanzado una imagen masculina de cósmetica, la de esos hombres guapos en los grandes almacenes neoyorquinos que te asaltan con el frasco imperturbable de *Paloma Picasso,* vestidos de camarero

[39] Rosenberg, 1967.

[40] Gerzon, 1985, 290 ss. Estos héroes han sido tradicionalmente dos tipos básicos a los que se ha unido una tercera amalgama. Son: el chico bueno malo (David Crockett), el chico bueno bueno (Lincoln) y Superman, que combina los dos.

Publicidad de For Men aparecida
en *Interview* (Nueva York)
en diciembre de 1988.

o para una fiesta en Park Avenue —yo siempre confundo los dos eventos. Porque estar joven no sólo es caro y requiere tiempo, sino cremas. Y de este modo el hombre ha entrado en la lucha contra las arrugas que hasta la década pasada había sido el secreto femenino ahora compartido por los hombres.

A veces los cuerpos paródicos se parodian a sí mismos de forma brutal e inmediata, como en el caso de la publicidad de *For Men,* en la que un hombre se ha colocado músculos falsos que subrayan su ridiculizada masculinidad, o se leen irónicamente, como revelan las bromas sobre los gimnasios que aparecen en revistas como *Mizz.* La aventura de ponerse en forma es vista desde las páginas de esa publicación en los siguientes términos: "El problema con la mayoría de los trabajos es que exigen mucho trabajo. Todas esas carreras para llegar a clase y romperte la espalda durante los ejercicios de calentamiento. No es divertido estar de pie en una clase llena de clones de Victoria Principal cuando tu malla de licra te hace parecer una versión muda de Chaka Khan". Contra esto se propone un tipo diferente de ejercicio: levantarse del sofá para ir por tarta de crema, quince calorías; volver al sofá para consumirla, 25 calorías; quitarse las espinillas, quince calorías, etc. Al final se concluye "¿Con un día así a quién le quedan fuerzas para ir a clase?"[41].

La parodia del ser o no ser —bellos— es tal vez la única forma de acercarse al cúmulo de contradicciones de los cuerpos sanos de los 80 que tratan de situar en un mismo ámbito a hombres y mujeres, como el anuncio de Lacoste en el que ambos sexos se entrenan juntos. Si no plantean

[41] Recogido por Winship, 1984, 133.

realmente un problema nuevo de género porque la mujer vuelve a masculinizarse[42] —dejando a un lado los senos para no decepcionar al doctor Freud— desde luego plantean un problema de clase, una escisión cada vez más brutal entre aquellos a los que el portero reconoce y aquellos a los que el portero no reconoce. Ser o no ser —profesionales urbanos.

[42] Un ejemplo muy comentado son las representaciones de Lyon realizadas por Mapplethorpe.

2

Nuevas censuras, los mismos censores: los hermanos incestuosos

¿Qué le queda al hombre cuando los valores de la masculinidad están en entredicho? Parodiar. Parodiarse o parodiar al otro —como ha hecho la mujer a lo largo de su historia. Ponerse un disfraz masculino —más real que lo real— o ponerse un disfraz femenino —más seductor que lo seductor.

Esa comentada crisis de la masculinidad conlleva a su vez la de la feminidad, aunque quizás sería más exacto decir que la crisis de los valores femeninos tradicionales —una crisis buscada, esperada y provocada desde lo femenino— ha traido como consecuencia inevitable el replanteamiento de los valores masculinos —del poder— sobre los cuales se sustentaban ambos mundos. Pero el proceso causa/efecto acaba por ser tremendamente borroso en la sociedad actual porque, igual que en décadas pasadas, la publicidad retoma ahora esos valores subversivos, los priva de toda significación política y, como ha venido sucediendo a lo largo de la historia de los géneros, los devuelve liofilizados, convertidos en un producto que está unido a su intención primera sólo a través de una forma diluida y manipulada.

No voy a discutir ahora si la publicidad recoge intuitivamente lo que está sucediendo o conforma la realidad, como se piensa desde algunos sectores[1]. Hasta cierto punto es irrelevante y, en todo caso, la sociología sólo puede constatar, carece de dotes adivinatorias. En una sociedad hipercomunicada, superinformada y llena de poluciones es difícil determinar si el producto final que llega a nosotros en forma de iconografías con características específicas está en realidad determinado por la búsqueda de una adecuación de los hábitos, el replanteamiento de los roles —consecuencia de la lucha feminista o la crisis de lo masculino después de Vietnam, entre otro factores— o

[1] Dos libros clásicos de Key de 1972 y 1976 pueden servir como punto de arranque de la discusión.

sencillamente por la vulgarización del psicoanálisis que ha dejado bastante claro que no somos sólo el *yo,* sino un *otro* extravagante y caprichoso que al final acaba por dictar las reglas o, peor aún después de Lacan, que no somos ni siquiera un *yo* sometido a vaivenes imprevisibles mientras no nos definamos irremisiblemente a partir del *otro.* Es lo que algunos llaman de forma ostentosa la muerte del sujeto.

Aunque lo masculino estuviera definido con anterioridad[2] y tradicionalmente lo femenino se haya nombrado posteriormente y como contraposición, lo masculino y lo femenino han percibido a menudo al sexo opuesto como el *otro,* indescifrable y complementario a un tiempo. La historia de la androginia ha sido de hecho una intuición desesperada para resolver el jeroglífico: si consigo reunirme con el *otro,* seré *yo.* Dicho de otro modo, me completaré, me reconciliaré y no tendré que seguir planteándome a cada paso quién manda en realidad.

Pero muerto el sujeto no se acabó la rabia y lo andrógino como proyecto social ha resultado un fracaso y no sólo porque significa masculinizarse —no siempre es así— o porque se parte de una tesis errónea —dando por buenos roles de partida construidos culturalmente— sino porque, una vez reconciliado el *yo* con el *otro* —del sexo contrario—, seguimos preguntándonos quien manda en realidad. Lo importante, se podría argumentar, es replantearse al menos lo establecido aunque se llegue a la conclusión de que no hay soluciones mágicas.

En todo caso, participar en la crisis no implica ni mucho menos una revisión combativa de los valores. Los disfraces pueden tener una función política, como en el caso de Barnes o Woolf, y pueden tener una función meramente terapeútica o mágica, como esas caretas que se imponen en las tribus para apartar aquello que se venera o se teme, en definitiva, aquello que se desconoce Este segundo acercamiento suele ser inconsciente —inombrado— al resultar difícil la aceptación de los temores. Las caretas del exorcismo acaban a menudo por ser sencillamente disfraces, modas, hábitos que terminan por institucionalizarse como parte del rito.

En tiempos de crisis de los valores masculinos los jóvenes profesionales urbanos han vuelto los ojos hacia su parodia, hacia los ideales masculinos de los años 50 que han sido a su vez desencadenantes de esa crisis; se han vestido de la esencia de lo masculino y han convencido a sus compañeras para hacer lo mismo. De esta forma han puesto en entredicho valores de clase, de género, raciales y de hábitos sexuales pero sin resolverlos, sin siquiera atisbar lo implícito en su discurso que, a fin de cuentas, iba mucho más allá que una carrera por el parque, un par de horas en el gimnasio y toda la parafernalia que la vida sana conlleva —mallas y chandals incluídos. Los jóvenes profesionales urbanos han resuelto la crisis de la masculinidad a través de cuerpos prestados, la crisis del SIDA a través de comida orgánica y vida sana, la eterna crisis del *otro* masculinizando los cuerpos de las jóvenes profesionales urbanas para encontrarse con un *otro* semejante —como sucedía en la antigüedad clásica— que también quiere ser sano, productivo y responsable. Han impuesto un ideal andrógino que los mantiene

[2] Sobre este punto es interesante la revisión de Stoller, 1985, 181.

Publicidad de YMCA aparecida en *The Village Voice* (Nueva York) a lo largo de 1988.

Publicidad de Manhattan Sports Club aparecida en *The New York Times* a lo largo de 1988.

ocupados para no tener que pensar en el impacto del *otro* en el *yo*. La androginia que debería servir como acercamiento crítico crea así una imagen corporativa de clase donde hombres y mujeres han encontrado un territorio compartido que la publicidad de los gimnasios, tan abundante en los periódicos neoyorquinos, expresa brillantemente. A veces son mujeres solas pero generalmente se presentan en parejas como en *Summer Bodies, Yes, you can* o la tremenda publicidad que aparecía en *The New York Times* en 1988: *Exercise Your Authority.* En ella se mostraba, al lado de una mujer que ejercitaba los músculos, a un joven profesional urbano leyendo el periódico, enfatizando el control del propio cuerpo como metáfora del control del entorno, idea que, curiosamente, se ha vendido a las mujeres durante años.

Esa ha sido una de las dos formas de resolver la crisis: recrear un aspecto más masculino que lo masculino —el mismo que planteaba *Tom de Finlandia—;* apostando, en cierto modo igual que los hombres *gay,* por esa vejez discreta, sin excesivos desajustes de imagen, la que la sociedad de consumo exige. Otros han vuelto, sin embargo, los ojos hacia lo efímero y han querido ser jóvenes sólo un rato, mientras dura la sesión fotográfica o la fiesta —como decía Bowie, el rey de la ambigüedad, ser héroes sólo por un día— y se han conformado con permanecer jóvenes en la instantánea o la memoria. Esa manifestación de eterna juventud no se enraiza con la imagen de los cuerpos sanos y deportivos sino con la iconografía efébica fin de siglo que recoge la tradición nostálgica del ideal que si fue, fue durante un tiempo

Publicidad de Cloutier aparecida en *Interview* (Nueva York) en febrero de 1987.

Publicidad de Matsuda aparecida en *Interview* (Nueva York) en marzo de 1990.

muy breve. Me refiero a los jovencitos que han inundado las páginas de todas las revistas en la segunda mitad de los ochenta conviviendo a veces con los superviriles, hibridizándose en una posición intermedia, otras —como muestra una publicidad aparecida en *Interview* en la que un joven ambiguo de pelo largo expone su cuerpo tatuado, de marinero. Los efebos de los ochenta han desaparecido finalmente en su propio mito para dar paso a los cuerpos de macho que en los últimos años se han impuesto como la solución definitiva a la crisis.

La consciencia generalizada —paranoia— ante el fenómeno del SIDA ha contribuido a exterminar a esos nuevos hermanos incestuosos —asociados a la estética *gay* como sucedía en el fin de siglo— sin placer y sin siquiera deseo, pura seducción, como dirían Lipovetsky o Baudrillard, el segundo pensando ingenuamente que la seducción es una prerrogativa femenina. Pero, como se preguntaba Ariès, ¿a quién seducían? Probablemente a todos y a nadie. En una sociedad obsesionada por seducir resulta imposible ser seducido. Los hermanos incestuosos simbolizan la seducción de lo descorporalizado, igual que los cuerpos saludables: algo que se disuelve en el mismo cuerpo social sin cuerpo, como cuando se habla del bien y del mal o de la muerte. Esos cuerpos sin cuerpo —los Narcisos y Narcisas que inundaban las revistas y los locales de moda, con su no se qué de vampiros— representaban

Katherine Hepburn, en *Sylvia Scarlett.*

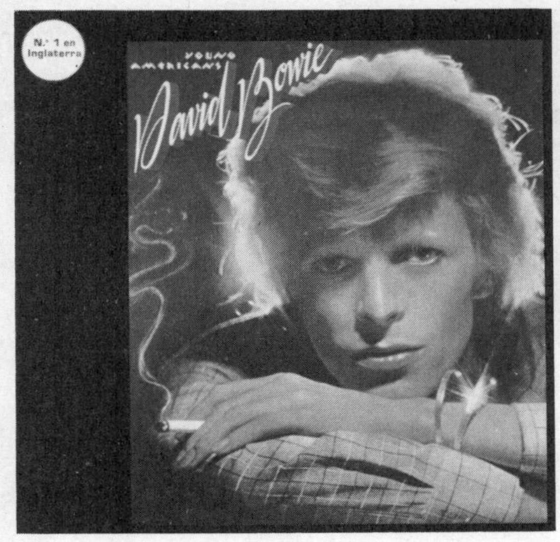

Portada del album *Young Americans,* de David Bowie (1975).

la contradicción social que trata de conformar un todo homogéneo a través de la falsa eliminación de las diferencias y simbolizan el miedo a la muerte y al envejecimiento que comentaba Lasch, en una civilización que, hasta que se cristalizó la crisis del SIDA, vivió con cánones homosexuales; la sociedad de trueques que comentaba Pollack —"orgasmo por orgasmo"—, la traducción sexual de la eficacia y la economía que rigen una cultura basada en el máximo rendimiento —número de orgasmos— con el mínimo costo —mínima pérdida de tiempo y riesgo de rechazo de las proposiciones[3]. Pero los orgasmos acababan por ser menos importantes que la posibilidad de los orgasmos: entrar en el local y sentirse parte del proceso de seducción.

En 1975 David Bowie se disfrazaba de *Sylvia Scarlett* para la portada del album *Young Americans.* Su modelo no era una mujer, sino una mujer andrógina, una imagen paralela a la Hepburn travestida. La postura de la mano abandonada —ella una copa, él brazaletes de oro y un cigarrillo, desde siempre símbolo de la mujer liberada—, el peinado, los labios imperceptiblemente abiertos, el gesto a la vez tierno y altivo. En los dos casos esas manos los delatan: son las manos de adolescente, de unos hermanos casi gemelos que se encuentran impolutos años más tarde, incongruentemente —la magia de la foto. Cuando casi diez años depués Boy George aparecía en la portada del album de Culture Club de 1982, retratado con su habitual aspecto de zíngara sofisticada —los magníficos ojos de gatos enfatizados por el maquillaje obvio, el mechón imposible, la bisutería abundante—, seducía a todos con su hibridización estudiada. Pero no se trataba de un fenómeno *gay* como se quiso ver desde algunos sectores: la ambigüedad no es equivalente a la homosexualidad. De hecho, Boy George, con su proverbial ironía inglesa, declaraba en 1983 a una revista haber tenido relaciones homosexuales, si

[3] Pollack, 1987, 77.

Portada del album de Culture Club.

bien en ese momento prefería "tomar una taza de té"[4]. Su travestismo, comentaba muy correctamente, seguía la excéntrica tradición británica.

Ese tipo de imagen masculina juvenil y ambigua —o juvenil o ambigua— fue también explotada con mayor discreción por publicaciones dirigidas a sectores más amplios— como muestran la comentada campaña de Biblos o la del mismo Armani de perfume para caballero, en la que un jovencito a caballo entre los años 20 y los 30 ofrecía una gama sugerentísima de posibilidades. Se trataba de hombres extremadamente púdicos, a menudo recatados en la exposición de sus cuerpos y que como Bowie dirigían la mirada más hacia la imaginería femenina que la propiamente homosexual, a veces incluso hacia la iconografía de las reinas del *pin-up* de los 50 a las que releían románticamente. Incluso la fotografía para *SoHo News* en 1981 de John(ny) Sex —todavía príncipe del *down-town* neoyorquino— muestra la figura apoyada en una columna y recortada sobre un fondo de tafetanes recosidos, con los habituales aderezos de la estética sadomasoquista y en una actitud digna de la mejor *teeser* del porno: la pierna doblada escondiendo más que mostrando.

En 1988 Prince se fotografía desnudo para la portada de su album. Es un Prince tímido, envuelto por unas inverosímiles margaritas de pistilos imposibles, uno de ellos colocado en el lugar preciso para animar a la identificación con el prepucio de un pene visible sólo en la imaginación del que mira. Su postura con una pierna adelantada, también mostrando sin mostrar, le da ese aspecto modesto de virgen sorprendida al salir del baño: una vez más Susana y los viejos. Se cubre el cuerpo —el pecho imaginario— con el velo invisible mientras el rostro recoge una expresión lejana y extática. Los viejos, la mirada del espectador —nuestra mirada—, acaricia ese cuerpo voluptuoso

[4] Citado por Wilson, 1985, 201.

John Sex, 1981.

que retoma a un tiempo modelos femeninos y la tradición efébica de jovencitos con velos vaporosos de la que habla Sontag.

Igual que sucedió en el fin de siglo, esos efebos aluden a la homosexualidad a la vez que la niegan y sus compañeras vuelven a efebizarse con ellos reproduciendo el consabido patrón de los hermanos incestuosos.

Es cierto que ahora todas las mujeres tienen algo andrógino no sólo en su ropa sino sus hábitos; han entrado al mundo del trabajo competitivamente y el pantalón —símbolo fálico desactivado— más que excepción es regla. La androginia se ha convertido en el ideal impuesto e incluso en símbolo de la *seducción otra,* no sólo porque desde siempre lo menos obvio ha tenido un misterio de atractivo especial —Marlene Dietrich puede ser el ejemplo clásico— sino porque hasta en las manifestaciones más politizadas se ha leído como otra forma de seducción. La androginia se establece en los 80 en su acercamiento típicamente masculino: la eterna juventud de unos hermanos que, igual que los efebos fin de siglo, obligan a la mirada a preguntarse quién es él y quién es ella. Durante esta década se han intercambiado la ropa, como en la campaña Benetton del 88 —esta firma ha explotado indefiniciones raciales y sexuales— que los ha disfrazado de guerreros gemelos o de unos nuevos Adán y Eva con pelo idéntico y chaquetas vaqueras abiertas mostrando un pecho que no es —en el caso de la joven— y un sombra de pecho que podría ser —en el caso del chico. Los nuevos andróginos están a menudo solos e indefinidos, como en la publicidad de Ralph Lauren —¿chico o chica?— o intercambiándose secretos, seguros de que en su ambigüedad de ideal impuesto, serán invencibles.

La publicidad también ha explotado el juego del espejo, del reflejo de los gemelos, los Narcisos de siempre. Es la misma estrategia que aparecía en el beso de Khnopff y que retoma la publicidad de Mirurgia y Pomellato —en la segunda con implicaciones de estética sadomasoquista en las joyas como

Campaña Benetton de 1988.

cadenas, imágenes que se asocian a la estética nazi. Son unos hermanos incestuosos en los que la mujer toma la iniciativa sexual besando a su doble, desvistiéndolo. ¿Qué ha ganado la mujer en este siglo de lucha? ¿Poder dar un azote a su acompañante? ¿No siguen expresando esos avances la dependencia de la Esfinge respecto al Andrógino?

La androginia es también la estrategia que utilizan numerosos cantantes Pop cuya imagen adolescente atrae de igual modo a chicos y chicas, si bien en general está sobre todo pensada para las mujeres —que suelen ser *fans* más fieles. También en este caso es posible preguntarse a quién desean atraer en realidad. El fenómeno tampoco es exclusivo de Occidente, como muestra Buruma[5] al hablar de lo que se consideraban las "estrellas más sexy" según una encuesta aparecida en 1981 en una revista japonesa para mujeres. Los más votados fueron Tamasaburo, un actor del kabuki especializado en papeles femeninos, y Sawada Kenji, una estrella de Pop que sale a escena semitravestido y es más hermoso que masculino. En Japón, donde la estructura contradictoria del país anima un arraigado complejo de Peter Pan, se publica un gran número de comics para jovencitas plagados de héroes andróginos, los *bishonen* —bellos jóvenes—, a menudo abiertamente enraizados en una estética homoerótica[6]. Se trata de los valores contradictorios que coexisten en Occidente y patentiza mucho más brillantemente el Japón: los *bishonen,* simbolizan por una parte el mundo del guerrero —masculino— y por la otra, el mundo de la caducidad y de lo efímero. No en vano Nosaka Akiyuki dice que el auténtico *bishonen* debe tener algo siniestro, tal vez ligado a la fragilidad y más aún, lo efímero de la figura, imbricada en la idea de la muerte. Es la clásica historia de *Muerte en Venecia,* de gran éxito en el Japón: el viejo ama en el joven la muerte impoluta que sabe él no tendrá. Es la idea fija de preservar la juventud, ser jóvenes para siempre, que llevan a las extremas consecuencias con los bonsais torturados en su infancia. Saikaku comentaba en 1687: ojalá los chicos pudieran ser siempre tan bellos como en su juventud. Los *bishonen* son a menudo vampiros o extraterrestres y se unen a personajes europeos como Lord Byron o Shakespeare, en el fondo la tradición inglesa que comenta Boy George. Su función última es invitar a la transgresión, algo que no está en absoluto socialmente aceptado

[5] Buruma, 1984, 118.
[6] Buruma, 1984, 225-130.

Publicidad de Ralph Lauren aparecida en *Vanity Fair* (Nueva York) en marzo de 1990.

Publicidad de Karl Legerfelt aparecida en *Vanity Fair* (Nueva York) en marzo de 1990.

en el Japón, algo que para la mayoría de las jóvenes lectoras no es siquiera imaginable en su realidad cotidiana.

En el fondo, el mundo occidental percibe la cuestión de forma semejante. Para muchos la estética homoerótica es una estética sofisticada y prendida de los valores de la belleza absoluta, un mundo de rasos y brandies —Dorian Gray o el descrito en *Muerte en Venecia*— imposible siquiera de imaginar para la mayoría de los mortales. La literatura y el cine —al menos hasta la institucionalización del cine *underground*— han descrito un mundo homoerótico de hadas, lejos de la realidad cotidiana.

Sin duda, las estrellas Pop han explotado esa idea o al menos la explotó Bowie en sus comienzos con los *glitter*. Su transgresión estética simbolizaba otras muchas transgresiones y casos como el del mismo Bowie, Prince, o Boy George son esclarecedores porque a través de un ideal feminizante no han atraído sólo al público masculino, sino al femenino, en cierto modo porque son más bellos y más seductores que sus colegas supermachos y porque de alguna manera activan el proceso de identificación entre esas jovencitas que son, a fin de cuentas, las máximas consumidoras de imagen masculina. Los sienten más cercanos a ellas porque crean una imagen corporativa que trasciende el sexo, la clase y la raza y ellas pueden así apropiarse incluso de la ropa de esas estrellas Pop, y adquirir un aspecto idéntico al de sus amigos, andróginos también. En un determinado momento ciertos barrios de Nueva York estaban llenos de clones de Prince.

El caso de Michael Jackson es uno de los más llamativos ya que a través de él se pueden observar algunos de los cambios que se han ido operando en los últimos años. En él se verifica un replanteamiento de numerosos valores

Néstor, *Las bodas del príncipe Néstor,* 1900.

Fotografía aparecida en *Details* en 1988.

que parecían inamovibles; como comentaba Jarque, Jackson es chico-chica, bueno-malo, blanco-negro[7] aunque su revisión no se detiene en valores de género o de raza, bastante obvios por otra parte, sino que pone el dedo en la llaga de la clase (aunque la raza sea también a fin de cuenta un valor de clase). En un momento en que la androginia es el ideal impuesto en una sociedad que pretende presentarse sin géneros ni clases y, consiguientemente, sin razas, lo andrógino simboliza esa desposesión absoluta, la eliminación de todos los opuestos. Naturalmente no es cierto que se hayan eliminado las razas ni los géneros ni las clases, sino que a través de ese proceso de falsa androginización se han escindido más. Se han buscado, sencillamente, nuevas representaciones del poder.

En un momento en que lo sexual ya no impresiona a casi nadie, el poder se expresa a través de la inmortalidad. Esta ilusión de inmortalidad es directamente proporcional al poder económico y oscila entre las estrategias más pobres —pasar horas en el gimnasio y el masajista—, hasta costosas curas de rejuvenecimiento o como en casos extremos, como el de Jackson, preservar la juventud en una burbuja. Sólo los realmente poderosos consiguen sobrevivir a la muerte en una inmortalidad de ciencia ficción: congelados.

Michael Jackson simboliza la inmortalidad deseada —más poderoso que el tiempo y la muerte— a partir de esos falsos ideales de una sociedad sin género, ni razas, ni clases. Es negro, pero se somete a todo tipo de tratamientos para ser blanco; es chico pero es chica después de sus operaciones de estética y en su aspecto y sus movimientos insinuantes; es rico pero la ropa aparentemente barata —algo que las gentes de su raza podrían llevar— le hace parecer pobre. Es un proceso parecido al de Madonna: cualquiera

[7] Jarque, 1987.

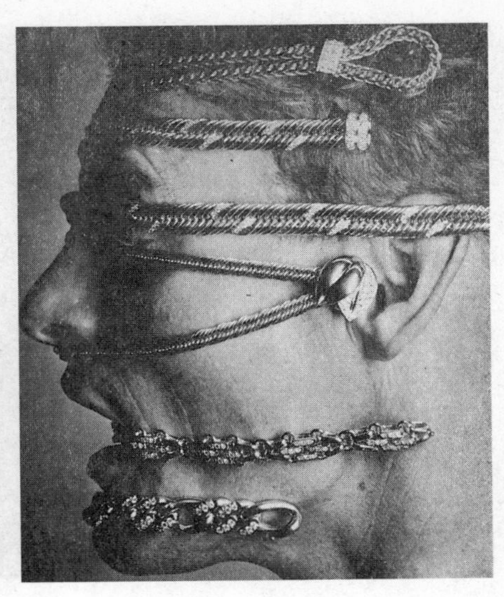

Helmut Newton, publicidad para Pomellato difundida en 1987.

Publicidad para Pomellato difundida en los últimos años 80.

podría comprar esa ropa si no estuviera diseñada por Gaultier. Jackson, pura contradicción, mantiene los valores raciales a partir de la ropa pero se aclara la piel; los pantalones ajustados hacen soñar a la mirada con un mundo fálico inextinguible, pero su carita de niñita de Jersey tambalea incluso la masculinidad.

Sin embargo, el proceso se puede observar desde otro punto de vista: un perfecto estudio de mercado que satisface las aparentes contradicciones. El cantante quiere ser blanco porque sabe que para triunfar en esta sociedad, hay que ser blanco y, además, para vender imagen hay que ser *sexy* y en esta sociedad lo *sexy* se representa a través de otras razas, otras clases y otros hábitos sexuales lejos de los blancos/clase media/heterosexual/masculino. El se convierte en un ambiguo chico blanco tan *sexy* como un chico negro que parece pobre pero que es rico; jugando con la estética *gay* pero reivindicando su paternidad en una canción. En el fondo, su caso es exactamente igual al de los jóvenes urbanos: ha reproducido los mismos modelos y, aunque los resultados sean diferentes, la esencia es la misma. Simboliza el cambio radical que ha provocado la crisis del SIDA que no sólo ha mostrado injustamente el lado desagradable de lo *gay,* sino que ha vuelto a imponer los valores de la clase media blanca con hábitos sexuales menos permisivos. En los últimos tiempos Jackson se ha convertido en un blanco que, sin perder completamente su aspecto andrógino, se ha masculinizado, se ha moderado igual que la sociedad entera.

Sin duda la crisis del SIDA ha sido decisoria en esos cambios de imagen, en esa vuelta a la visión contenida del mundo. Por una parte ha debilitado lo que Pollack definía como el acercamiento abierto de los códigos homosexuales, con una visión muy particular y nada conservadora en cuanto a clase y raza. La crisis ha desacreditado lo homosexual, asociado a la enfermedad igual que sucedió durante los años 30 en los que se acusa a las mujeres de ser las

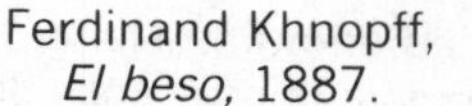

Ferdinand Khnopff,
El beso, 1887.

Publicidad de Myrurgia aparecida en la prensa española a lo largo de 1986.

propagadoras de la sífilis. Bland y Mort comentan cómo los grupos que en el año 81 se consideraban como de más alto riesgo eran los hombres de negocios internacionales, los gays, los turistas y las jóvenes solteras. Como es de suponer estos grupos se referían a los hábitos sexuales de las personas con un mayor número de parejas.

El mensaje era claro hasta el contagio del jugador de baloncesto (y aun entonces): si usted es un hombre heterosexual y no se inyecta droga está a salvo, incluso si su mujer ha tenido relaciones con un hombre bisexual tiene pocas posibilidades de contagio porque la transferencia del pecado es poco frecuente. Parece extraño que sigan siendo las minorías —mujeres y homosexuales— las culpables. Existen razones médicas que explican la circunstancia —al menos se exponen razones médicas— pero el hecho de que éstas preserven los valores dominantes de la clase en el poder me parece por lo menos sospechoso.

Se ha mencionado anteriormente cómo en periodos de crisis, salud y enfermedad se convierten en referentes morales y en esta ocasión se vuelve a asociar una enfermedad a lo no permisible socialmente[8]. Alrededor de estas consideraciones surgen una serie de dudas morales sobre la propaganda o no de la enfermedad; si debe hablarse de ella y cómo debe hablarse de ella. Parece moralmente necesario hablar para prevenir la enfermedad pero, ¿cómo acercarse al SIDA?

Desde que la enfermedad se convirtió en un hecho socialmente aceptado se han ido desarrollando dos visiones diferenciadas, una humorística y otra más trágica. Las representaciones desde el poder fluctuan entre los tremendos

[8] Bland y Mort, 1984, 149.

anuncios británicos a la humorística campaña española y lo mismo sucede entre las iniciativas de esos artistas o escritores que van a morir de la enfermedad o, simplemente, creen que es necesario hablar de ella.

El SIDA ha convulsionado sobre todo a la sociedad americana y ha simbolizado un replanteamiento de valores. Como comenta Kimmelman "la gente se enfrenta a la enfermedad con miedo, rabia, tristeza, arrogancia y confusión. En un país que idolatra la juventud y la salud, el SIDA ha golpeado cada parte de la misma autoimagen de los americanos. El arte y el SIDA reflejan algo del alma americana"[9]. La enfermedad ha dejado de ser un virus para convertirse en una derrota y, sobre todo, un delito social que ha asestado otro golpe mortal al sueño americano, el sueño compartido por todo el mundo occidental. Sólo hay dos opciones ante un delito social: ocultarlo u oponerse a él a través de acciones de guerrilla más o menos urbana que alerten a las gentes sobre un problema que, finalmente, es de todos.

La mayoría de los artistas americanos han optado por la segunda alternativa y ha sido una opción valiente, no sólo por las implicaciones tremendas de la enfermedad social, sino porque se han enfrentado cara a cara con uno de nuestros muchos tabús contemporáneos: la enfermedad y la muerte en este caso además plagadas de los valores añadidos del pecado.

El SIDA ha sido un *leit motif* recurrente del arte americano de los 80 y el arte se ha enfrentado al SIDA de la misma forma ambivalente en que todos nos enfrentamos a la enfermedad. La ambivalencia se refleja en formas muy variadas: de la apasionada obra de Larry Kramer *The Normal Heart* a *Zero Positive* de Harry Kondoleon, de estilo casi wildiano; del realismo de Rosalind Solomon, cuyas fotografías de enfermos de SIDA, *Portraits in the Time of AIDS* —excesivamente gráficas para algunos— retratan la vida y no la muerte, hasta ese acto militante silencioso representado por *Names Project,* un "quilt" al que se van cosiendo nombres de nuevas víctimas en su discreto periplo, y que une a los amigos en un dolor compartido que es al tiempo un acto público. Esa ambivalencia va de las fotos de Ann Meredith, que trata de poner de manifiesto que el SIDA no es sólo una enfermedad homosexual al mostrarnos a mujeres blancas y negras con sus hijos, a los mensajes más directos de Gran Fury: "Con 42.000 muertos, el arte no basta"[10]. Aparecen también iconos optimistas como *find the cure,* la frase que dice a su elegante novio la sofisticada joven de Diane Neumaier en un intento de utilizar iconos positivos —juventud, éxito—, y por lo tanto tranquilizadores, para llamar la atención sobre un tema desagradable. El fotógrafo David LaChapelle intenta por su parte restablecer la credibilidad de los fluidos humanos en obras como *Of Life.* En otras ocasiones se opta por un punto de vista más o menos humorístico como la obra de John Fleck *I Got to be He-Be-she-Be's,* presentada en el Performance Space 122 del East Village neoyorquino. En ella se analiza la influencia de la crisis del SIDA en las relaciones eróticas y en la que el mismo Fleck interpreta los papeles de esos hombres y mujeres que tratan desesperadamente de enamorarse unos de otros.

Las instituciones asociadas al arte se unieron al esfuerzo desde los primeros momentos en que se diagnosticó el síndrome, no sólo a través de campa-

[9] Kimmelman, 1989, revisa las obras en cartel que tratan del SIDA.
[10] Atkins, 1988.

ñas para recaudar fondos, sino organizando exposiciones como las del Nicholas Nixon en el MOMA, la exposición colectiva del New Museum de Nueva York, la muestra de la University Gallery de la Ohio State University en Columbus o *AIDS Media: Counter-Representation* del Whitney.

A veces la misma ambivalencia deja problemas sin resolver porque sus estrategias representacionales no logran encontrar el punto medio. El SIDA se presenta a través de imágenes documentales que horrorizan —y por lo tanto tienden a apartarnos del hecho— o a través de imágenes de gentes sanas, "como nosotros", que corren el riesgo de banalizar algo muy grave.

Gente como nosotros. Pero, ¿quiénes somos nosotros, todos nosotros? Nosotros somos el producto de un sueño que ha basado sus estrategias en la juventud y la salud, que ha inventado el feminismo y ha impuesto la androginia como ideal; que en los 50 nos ha obligado a soñar con un mundo armónico de esquizofrénicos que ahora desea volver a implantar como felicidad alienada. Al censurar, la sociedad occidental se autocensura porque desde sus mismas estructuras se había propiciado ese acercamiento abierto al mundo. Almodovar se prohibe en los Estados Unidos y Mapplethorpe causa escándalos en todas partes. La censura sexual preocupa sobre todas porque conlleva el resto de las censuras.

Incluso los cantantes Pop se redefinen en el final de la imagen múltiple y Jackson se presenta como el chico burgués que todos llevábamos dentro en los 70. Algunas cantantes femeninas se empecinan en reavivar valores de raza o género —como K. D. Lang o Tracy Chapman, ésta última representa además un nuevo tipo de mujer corpulenta[11]— y siguen perseverando su desarraigo del poder. Sinead O'Connor se presenta como replanteamiento de clase, de género aunque al final aparece como una pobre niña *punk* desvalida —casi con connotaciones a campo de concentración— que nos mira desde sus inmensos ojos azules diciendo que "nada es comparable a ti". ¿O es tan sólo una representación de la terrorista dura que se hace momentáneamente suave?

La androginia ha muerto como ideal, eso parece innegable, porque era un ideal abierto y ahora tendemos hacia un ideal cerrado. En todo caso era sólo androginia a medias porque no creaba seres asexuales sino sexualmente posibles. Tendría más posibilidades andróginas —asexuales— la sociedad post-crisis del SIDA: *No sex is Safe sex.* Se ha optado por el sexo seguro, el trabajo seguro, la pareja segura: estabilidad inestable en un mundo que más que tambalearse, colapsa. Una sociedad de hombres a la Brandon y mujeres con pechos prominentes que son fruto de la cirugía y el gimnasio, como las figuras adolescentes de los 20 eran fruto de los corsés. Pechos de músculos y piernas de músculos también.

Del proyecto andrógino quedan una mayoría de mujeres que se visten como hombres y actuan como hombres —lo supersexual pertenece todavía a grupos reducidos. Por su parte, los hombres vuelven al aspecto supermasculino pero revisan los roles tradicionales: ahora se los presenta ayudando en casa y con los hijos, androginizados en las costumbres.

Quizás el fracaso de la androginia ha sido entonces un fracaso a medias porque esa supersexualidad se verá obligada a redefinirse a partir de nuevos

[11] Holden, 1988.

valores, a través de roles diferentes de los propugnados por los 30 o los 50. O tal vez no, tal vez se construya, por fin, ese mundo feliz que nunca fue hace cuatro décadas.

¿Qué perdurará de la propuesta andrógina si perdura algo? ¿Imagen o conducta? ¿Se trata de un triunfo femenino —las mujeres han impuesto en parte sus metas— o de un fracaso, ha sido una estrategia masculina impuesta desde lo masculino? Si el poder es masculino y en los 80 hemos asistido a la institucionalización de un ideal impuesto desde el poder, quiere decir estamos ante una estrategia masculina.

Qué ha quedado, al fin, de la batalla femenina por la androginia, ¿poder dar el azote o tomar la iniciativa sexual? Una vez más las metáforas femeninas han sido manipuladas aunque la amenaza haya sido sustituida por la seducción.

3

La voz travestida

En 1926 Anton Räderscheidt hacía su autorretrato, en cierto modo siguiendo su costumbre de pintarse al lado de la modelo. Räderscheidt pinta sobre todo el aislamiento, escenas donde el pintor y la modelo aparecen juntos si bien ambos son más bien presencias ausentes; encerrados juntos en el lienzo y al mismo tiempo separados por un muro invisible que de alguna manera aleja al artista del resto de los elementos en la escenografía.

En su autorretrato del 26, el pintor vuelve a aparecer en primer plano, igual que en la obra *Pintor y modelo* del 21, aunque ahora se retrata en plena faena, con corbata pero en mangas de camisa y un utensilio de trabajo en la mano. Al fondo, sobre un lienzo, se puede ver el retrato inacabado de una mujer, el boceto en el cual seguramente está trabajando. Es un cuerpo fuerte, de hombros anchos y cintura apenas marcada, igual que las mujeres fin de siglo que se confunden en su virilidad con los compañeros. En el caso de Räderscheidt sólo los pechos prominentes y el rostro dulcificado definen ese cuerpo como femenino, en un raro balance con el otro cuerpo vestido en primer plano, el del artista. ¿Cuál es en realidad el autorretrato, el hombre vestido o la mujer desnuda? ¿O son a fin de cuentas ambos la misma persona? ¿Cuál es el pintor y cuál el modelo y por qué ese sutilísimo y repetido parecido entre ambos? ¿Autorretrato del *yo* o del *otro*? En *Encuentro,* también del 21, la modelo aparece de frente y el hombre —¿el pintor?— de espaldas y, sin embargo, lo llama encuentro. El pintor y su modelo se encuentran repetidamente en sucesivos desencuentros hasta que en 1926 acaban por ser colocados frente a frente.

No creo que la ambigüedad con la que Räderscheidt juega sea casual y el parecido entre ambos, lo repetido del encuentro, trae a nuestra memoria imágenes fin de siglo o fusiones por ordenador de hermanos incestuosos. El pintor y la modelo se funden o el pintor ve en la modelo su otro yo

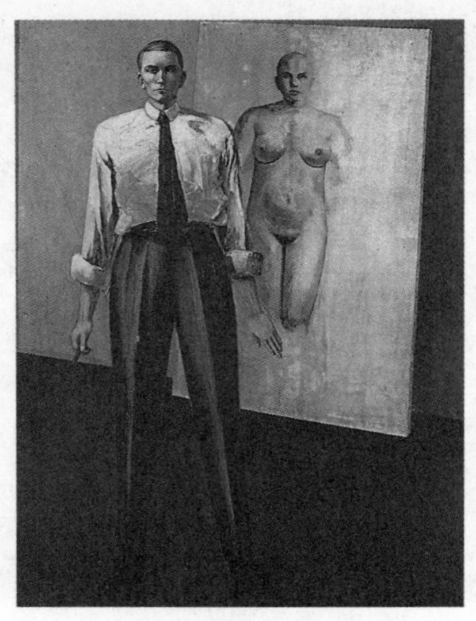

Anton Raedenchidt,
Autorretrato, 1926.

dibujándola como su otro femenino, más dulce y más redondeado. ¿Qué hay en realidad debajo de la ropa del artista —se pregunta la mirada— qué cuerpo?

Si el cuerpo hablara. Pero no habla, no dice absolutamente nada porque está manipulado siempre por una voz en *off* que, igual que la publicidad de los montones de ropa sucia, nos dice lo que debemos ser. Es la voz sin cuerpo, la voz de la autoridad, la voz del padre. Laurie Anderson se refiere a su cerebro en *Babydoll* como una voz fuera de ella que le dice que le lleve al cine porque quiere sentarse en un sitio oscuro, que le lleve a Tahití porque quiere estar en un sitio cálido. Pero es una nueva voz que no ordena, seduce —la llama "muñequita". Los cuerpos no articulan palabra y acaban por convertirse en el vehículo de las diferentes voces en *off,* incluída la del cerebro, a su vez dirigida también.

Todas y cada una de las crisis masculinas parecen haber sido provocadas por una voz en *off* que partía de las buscadas crisis femeninas y que ha llegado a perturbar tanto porque las voces sin cuerpo suelen corresponder a voces de hombre —tal vez se trataba sólo de una distorsión electrónica de la eterna voz en *off.* De hecho, la androginia en los 80 por fin se ha manifestado como la trampa que siempre ha sido, un ideal impuesto desde los nuevos dioses, la superioridad dogmática sin cuerpo —clase, grupo, poder económico, poder social, psicoanalista— que ha vendido la fórmula para ser felices sin manual de uso. Todo era falso —cómo no nos hemos dado cuenta antes: se buscaba la revolución y se ha encontrado la adecuación a la norma; se pretendía la armonía y se ha encontrado la repetición.

En realidad, la historia de la androginia en el siglo XX es la atractiva historia de un fracaso. Igual que *El Banquete* de Platón habla de abrazos múltiples o únicos pero siempre desesperantes y artificiales, de desencuentros.

Hemos interpretado muchos papeles pero sólo éramos actores, no habíamos escrito el guión.

En 1982 se realizaba una de las escasas muestras de cine punk, *Liquid Sky,* escrita e interpretada por Anne Carlisle[1]. A primera vista se trata de una historia de ciencia ficción donde unos extraterrestres que se alimentan de heroína y de una extraña sustancia que se desprende de los cuerpos durante el orgasmo, se situan en la terraza de un ático neoyorquino donde viven una bella andrógina y su novia traficante —el lugar idóneo para ellos porque hay mucha droga y mucho sexo. Lo que en realidad narra *Liquid Sky* es una historia sobre las imposibilidades de dos bellos ambiguos, Margaret y Jimmy —ambos modelos e interpretados por la misma actriz—, dos jóvenes casi idénticos porque los dos se adecuan perfectamente al modelo de androginia, los nuevos hermanos incestuosos. La película retoma el perfecto ideal de andrógino —asexual, frígido e incapaz de sentir placer— y reconstruye el tema de la ambigüedad sexual que, como ocurría con los hermanos incestuosos fin de siglo, se identifica con un cierto tipo de ambigüedad moral. Todos los personajes quieren algo: el placer de las drogas —clientes de la amante de Margaret—, el placer del dinero —la amante de Margaret— o el placer del sexo —el deseo del anterior amante de Margaret, profesor de arte dramático, un antiguo hippy que la quiere poseer precisamente por su ambigüedad moral y sexual.

En principio parecería que la película recoge todos los clichés centrados en el cambio de la marihuana a la cocaína, de lo hippy a lo punk, pero lo que está contando es que siempre hay voces en *off* que van diciendo lo que hay que hacer y lo que hay que ser: incluso las posiciones más radicales son una trampa. La fuerza y la desesperación de Margaret nace de su frigidez, ésa que la salva de morir, al contrario que sus amantes cuyos orgasmos los diluyen en luces. Sin embargo, ella quiere morir o, más bien, reunirse con una fuerza que, contrariamente al resto, no está interesada en ella. Cuando por fin es consciente que puede "matar con el coño" se venga de sus enemigos para acabar asesinando a Jimmy, su alter ego —que alcanza el orgasmo mirándose al espejo durante la felación de Margaret. Narciso recupera el placer a través de su propia imagen— y entonces es consciente que no sólo le está haciendo el amor su imagen reflejada, sino que Margaret es él mismo.

Son las voces las que han conducido a Margaret a autoasesinarse en Jimmy, esas voces que desde niña han engañado a una típica chica del *Mayflower* diciéndole que debía encontrar un príncipe azul, tener una casa en las afueras y celebrar fiestas con barbacoa a las que irían otros príncipes, abogados también, con sus princesas. Margaret lo cuenta mientras se maquilla la cara con colores fosforescentes; ya no es ella, sino su máscara y hace pensar si es real precisamente entonces, cubierta por la careta de pintura.

"Y dirían: delicioso, delicioso. Qué aburrido. Y me enseñaron que debía venir a Nueva York y ser una 'mujer independiente'. Sería una actriz y vendría mi príncipe que sería un agente y me conseguiría un papel. Y me ganaría la

[1] La novela se publica en Nueva York en 1987.

vida siendo camarera en un restaurante. Y esperaría a los 30, a los 40, a los 50. Y me enseñaron que para ser una actriz había que estar a la moda. Y estar a la moda era ser andrógina. Y soy andrógina, no menos que el mismo David Bowie. Y dicen que soy guapa. Y mato con mi coño. ¿No os parece de supermoda? Venid, enseñadme. Estoy dispuesta a aprender; cómo se entra en el mundo del espectáculo. Sé amable con tu profesor, sé amable con tu público, sé amable con tu agente: sé amable, sé amable. Sonríe. ¿Cómo ser una mujer? Deséalos cuando te deseen. Bueno, ¿y cómo ser libre y tener igualdad? Folla con mujeres en lugar de con hombres y descubrirás un mundo lleno de libertad. Los hombres no te molestarán, lo harán las mujeres. Así, qué... ¿quién quiere ser el próximo? ¿Quién quiere enseñarme? ¿Teneis miedo? Teneis razón. Porque han muerto todos. Todos mi profesores"[2].

Este discurso me ha parecido siempre revelador. Habla de una mujer dirigida que aparece como el epítome de la modernidad pero que siempre ha estado guiada por la voz. Incluso en su androginia o en su lesbianismo —en su toma de posición radical— se ha limitado a seguir una moda impuesta por algo que no conoce. Ni siquiera muerta se libra de su esencia de objeto sexual cuando el policía —¿leído como autoridad?— que la descubre dice: "debe haber sido una chica muy sexy"[3]. ¿Qué la mata en realidad si no la mata la heroína inyectada?

Cada cosa dicha a las mujeres ha sido una trampa de liberación; incluso el uso del impersonal "me dijeron" revela el cuerpo como lugar de ejecución de órdenes que provenían de una voz descorporalizada. Muerta, aún no es libre porque vuelve a sucumbir a otros entes sin sustancia, los extraterrestres.

En los 80 se ha repetido la frase de Hesse —"no puedo ser tantas cosas"— y la respuesta ha sido, quizás sí, por qué no. A lo mejor la solución está en parodiar las órdenes de esas voces, en serlo absolutamente todo sin creerse absolutamente nada. La androginia como proyecto social ha fracasado, la androginia como proyecto de minorías ha fracasado, la androginia como proyecto feminista ha fracasado de igual modo. Han fracasado todas las androginias pero sabemos que los roles —*sé amable*— también estaban dictados por la voz no sólo sin cuerpo sino sin voz, como el psicoanalista —algo que no se ve ni se escucha pero que está detrás de uno.

Desde el momento en que la androginia se ha manifestado como otra consigna a seguir, ha pasado a ser una burla a la mirada dominante —masculina—, que pretendía presentarse única y jerarquizada y que en este momento se tambalea sin remedio. Pero se trata precisamente de no sustituir una mirada por otra, así que en la inverosimil fiesta de disfraces cada uno ha optado por ser exactamente lo opuesto, lo otro, o lo mismo en ese guiño a la mirada que es puro disfraz, puro travestismo; serlo todo. Narciso se hace feo o, incluso, se autodiluye. Por fin es posible ser otro y divertirse, pues a pesar de los esfuerzos revolucionarios la androginia, igual que los roles, ha acabado por ser una construcción cultural, otro síntoma de mercado.

Pero me preocupa que en esa fiesta de disfraces el hombre postmoderno haya querido apropiarse de lo supuesto femenino en un momento en que

[2] Carlisle, 1987, 166-67.
[3] Carlisle, 1987, 185.

muchas mujeres se preguntan qué es lo femenino. Me inquieta esa generación de intelectuales de clase media a la que Suzanne Moore denomina como "chulos de la postmodernidad"[4] que ha querido poseer todo aquello que, en principio, no era suyo —otras razas, otras clases, otros géneros, incluso otros hábitos sexuales. Me pregunto cuáles son en realidad sus intenciones; si quieren apropiarse de lo femenino porque está de moda, porque están confundidos, porque piensan como sus antecesores del *Playboy* que es más cómodo o si, sencillamente, se quieren hacer los simpáticos con las mujeres. Si la razón fuera la última, querría decir que las *Nuevas Mujeres,* después de todo no fracasaron completamente. Yo, y no sólo yo, sigo desconfiando.

Cuando Lacan se denomina la "perfecta histérica" dice que puede (y quiere) hablar desde lo femenino —aunque sin renunciar al poder masculino, naturalmente. Inicia sin duda una moda creciente entre la generación de histéricos que se apropia de la subjetividad femenina, esa *subjetividad otra* —de todos los *otros*— para representar las facetas reprimidas de su clase —media, blanca, heterosexual. Moore recoge el testimonio de Williamson quien también sospecha ante esas súbitas apropiaciones y se pregunta en la crítica a la película *Something Wild* algo parecido a lo que Luce Irigaray cuestiona en Lacan: si este tipo de hombre postmoderno ve lo auténtico de sí mismo en las mujeres y la gente de color, cuál es entonces la realidad social de las mujeres *sexy* y los negros potentes; si son la representación de algo objetualizado dónde está su subjetividad[5]. Cuando a lo largo de su historia la mujer se ha apropiado de los símbolos masculinos —lo fálico que según Lacan establece la diferencia— no quiere en realidad ser un hombre, no se apropia del *otro,* sino que retoma sus significantes y los descontextualiza: cualquiera puede ser un hombre, basta con ponerse bigote. A ninguna mujer se le hubiera ocurrido decir que se sentía como "el perfecto macho chauvinista", por fin.

Los "chulos postmodernos" han decidido de repente serlo todo pero han nadado y guardado la ropa como Mademoiselle de Maupin, el primer "chulo postmoderno", una invención masculina que es el lugar donde habita lo doblemente fálico irrepresentable —el padre y la madre castradora, autónoma y completa. Gautier es Maupin, por eso se apresura en aclarar que no es una lesbiana sino una representante del tercer sexo que a veces es hombre y a veces mujer. Pero, ¿qué quiere decir con eso? Incluso desde su realismo, Gautier describe finalmente al hermafrodita, la pura presentación masculina en la que el hombre *se* representa como la mujer no castrada. Nadar y guardar la ropa.

"Si fuera tu amiga, ¿me contarías lo que no me contaste cuando era tu hombre?", dice Prince en *If I was your Girlfriend* de 1987. Esta canción me llamó fuertemente la atención desde el día que la escuché por primera vez pues despertaba en mí las mismas sospechas que algunos postmodernos. Supongo no he sido la única en no ver claro tanto interés ya que Moore utiliza esta letra como inicio de su artículo. Prince es un indiscutible representante de lo que un auténtico postmoderno debe ser —amalgama racial, de género,

[4] Moore, 1988.
[5] Citado por Moore, 1988, 190.

de clase, como decía Pareles sobre su espectáculo de 1988 en Minneapolis, la perfecta combinación "entre sexo y devoción"[6]. Cuando oigo esa canción, igual que cuando leo o escucho a los "chulos postmodernos" me preguntó si realmente están interesados en saber lo que yo (una mujer) podría decirles, si fueran mi mejor amiga (otra mujer), aquello que no les he contado cuando eran mi novio.

Me inquietan las palabras seductoras de Prince y me asombra, sobre todo, que dé por hecho que hay cosas que las mujeres no dicen a los hombres y que sí comentan con las amigas. Me desconcierta la letra de esa canción que retoma los deseos de cualquiera de los chulos postmodernos. Entonces surgen numerosas preguntas. ¿De verdad le interesa saber qué le diría o lo dice por complacerme, para seducirme una vez más, en esta ocasión a través de las armas que yo estoy dispuesta a utilizar en el duelo, en un cambio de estrategias a tiempo? ¿Su postura es anticuada —cree que hay un mundo sólo para mujeres— o su postura es avanzada— hay que encontrarse a mitad de camino? ¿De verdad quiere acercarse a mi subconsciente o quiere conocer los secretos de primera mano para convertirse en otra modernísima histérica? ¿Cree que tengo subconsciente? ¿Le interesa lo que yo diría a mis amigas o le interesa lo que las mujeres en general hablan con sus amigas como una rareza antropológica? ¿Tiene celos de mis amigas y se pregunta como Ellis qué hacen las amigas cuando se quedan solas? ¿Cree que soy lesbiana? ¿Tiene fantasías lesbianas con dos amigas (porque se ofrece a elegir la ropa y vestirme y las amigas no suelen hacer eso)? ¿O simplemente está trabajando en la aceptación de su homosexualidad latente? ¿Por qué no se hace la pregunta inversa —si fueras mi amigo te contaría lo que no te he contado cuando eras mi novia? ¿Es la típica frase amable que se dice cuando quiere darse por terminada una historia o sabe que por mi parte la historia no da más de sí y opta por la frase desesperada que cree quiero oir?

A lo mejor se trata sólo de un miedo masculino muy reciente —o eterno—, el de sentirse excluido aunque no se sepa con exactitud de qué. Algo que parafraseando a Freud se podría llamar la envidia de la diferencia.

¿Quién seduce a quién? Me pregunto si los "chulos postmodernos" no han retomado la androginia como estrategia representacional para entrar en un mundo que imaginan diferente porque ellos lo han inventado diferente y del cual se sienten excluidos porque se han autoexcluido. Tal vez, aunque ha pasado más de un siglo estamos exactamente en el punto de partida: los hombres veían con buenos ojos las relaciones homosexuales de las amigas como preparación al matrimonio[7]. Cien años más tarde siguen animando ese mundo femenino aunque en el fondo lo perciban como una amenaza, quizás porque se sienten excluidos.

Pero dejando a un lado estas consideraciones, la androginia se ha convertido en la metáfora de la modernidad si bien no todos los chulos son postmodernos ni todos los postmodernos son chulos.

En muchas ocasiones, y más concretamente en el caso de algunos artistas que trabajan en los 80', el cuerpo —su propio cuerpo— se configura como

[6] Pareles, 1988.
[7] Como comenta extensamente Smith-Rosenberg, 1985.

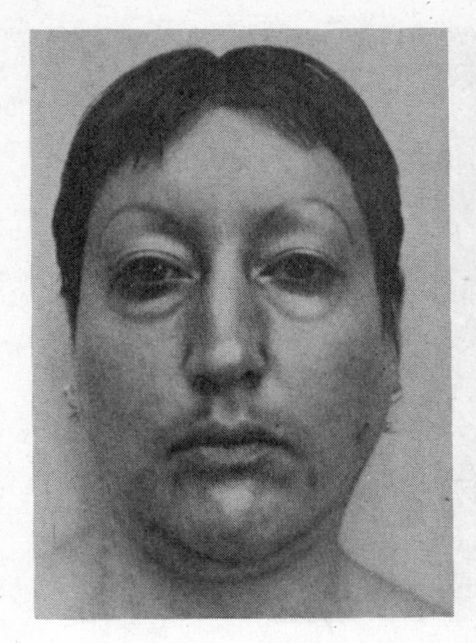
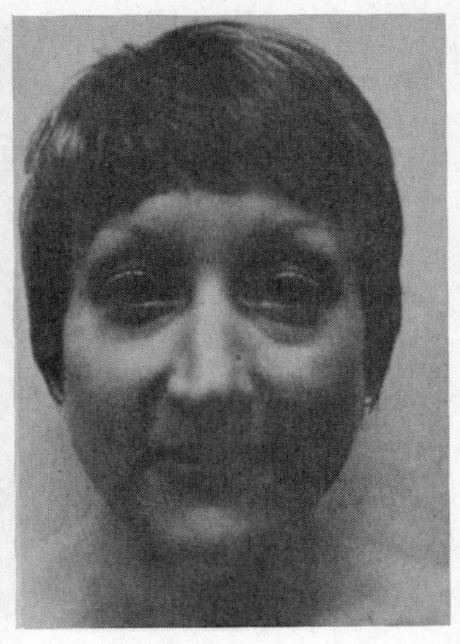

Martha Wilson, *I Make the Image of my Perfection, I Make the Image of my Deformity*, 1976.

lugar de transformación. Sin duda estos artistas son herederos de los movimientos de los años 70 o han participado en ellos. Ya entonces se planteaban cuestiones como la unicidad y las jerarquías en lo estrictamente artístico, algo que quedó plasmado en la batalla entre la alta y la baja cultura.

El cuerpo como lugar de transformación es el mensaje esencial del *body art* o de los *happening,* donde el propio cuerpo transformado se convierte en esencia de la obra de arte. Las artistas próximas al feminismo utilizaron estas manifestaciones para contravenir las consignas, como expresa perfectamente la obra de Martha Wilson *I make Up the Image of my Perfection, I make Up the Image of my Deformity* (1974), quien juega a mostrarnos los cambios que se operan en el propio cuerpo y que son en realidad la antítesis de lo que se da por aceptable —cuando se pone guapa sigue siendo fea desde los cánones impuestos.

La artista Catherine Elwes explica cómo la mujer está triplemente dividida entre: "(1) el vigilante patriarcal internalizado (2) la máscara de la feminidad que éste exige (3) esa cantidad de feminidad desconocida que el *yo* singularmente no consigue representar. Desenmascarar la máscara —presentarla como una charada— fue uno de los primeros objetivos de la *performance* feminista"[8].

La consigna es, por tanto, descubrir la máscara que a veces es de feminidad, a veces de masculinidad y otras de androginia aunque siempre producto del proceso internalizado a través de ese vigilante patriarcal —la voz en *off* que primero susurró amenazas y últimamente ha optado por las

[8] Elwes, 1985, 185.

Lucy Lippard, Sabra Moore y
Holly Zox, *Cross Dressing Codes,*
años 70.

palabras seductoras[9]. Lo femenino también es un disfraz y puede tener representaciones —algunas aceptadas, otras menos. Esa era la idea última de los *Cross-Dressing Codes* de Lucy Lippard, Sabra Moore y Holly Zox cuando en sus reuniones hablaban de los diferentes disfraces de la mujer. "Mujeres que se visten como chicas, mujeres que se visten como chicos, mujeres que se visten como hombres en traje sastre y corbata andróginos y neutralizados. (Así fue como el monstruo ejecutivo se hizo hermafrodita). Hablamos de la edad y el sexo y de cómo la ropa afecta y refleja el poder, de cómo a las mujeres se las ve como a chicas igual que a los hombres negros se les ven como a niños y a los artistas como a críos. Hablamos de pantalones y faldas, de pelo corto y pelo largo y sus diferentes mensajes, a mí me gustó más el resultado final de la pieza de lo que les gustó a Holly y Sabra; (...) pero a lo mejor me gustó porque me identificaba con la mayoría del collage empezando con la cruz ejecutiva que todos debemos llevar hasta la cruz de clase (...), luego con el material transexual de abajo"[10]. Eran todas esas mujeres —y algunos hombres— de nuestra publicidad que rellenaban un perfil femenino, sin duda punto de arranque para experiencias posteriores al ser la intención última de collage replantear no sólo el género, sino la clase y la raza[11].

En la misma línea de revisisón de género, clase y raza se situa la obra de Eleanor Antin, quien en sus *performances* adquiere varios aspectos diferentes que no se limitan a ser disfraces para la actuación sino verdaderas actitudes

[9] El esfuerzo por parecer una mujer, esencialmente entre las mujeres poderosas para no despertar sospechas, fue una de las cuestiones tratadas por Joan Riviere en el artículo clásico.

[10] *Events,* 1983, 401.

[11] Las obras teóricas de Lippard lo reflejaron sin duda, especialmente la reciente *Mixed Blessings.*

Eleonor Antin, *El Desdichado,* 1983 (Cortesía de la Galería Ronald Feldman, Nueva York).

que a veces se prolongan en la vida real. Algunos de estos disfraces invaden experimentalmente su vida cotidiana rozando un terreno casi esquizofrénico. En su *Teatro del yo* la *performer* se transforma en presencia y en esencia, siendo las metamorfosis el punto para una meditación sobre el travestismo como una terapia de exploración sobre las verdades múltiples del *yo* y su relatividad.

"Me resulta útil pensar que mi alma está presidida por cuatro personajes —una Bailarina, un Rey, una Enfermera y una Estrella de cine negra. Al dividirme entre estos cuatro personajes he aprendido mucho sobre mi vida y mi propio personaje así como sobre mi situación en el mundo", comentaba Antin[12]. Estos personajes simbolizan de hecho cuatro aspectos del *yo,* cuatro facetas de personalidad. Como explica Whiters, la Bailarina representa al artista, la persona que se ha hecho a sí misma y Antin se encarna en Eleanora Antinova, una bailarina negra que trabajó con Diaghilev hacia los años 20 —en su aceptación real del personaje, la *performer* lleva años escribiendo las memorias de este personaje en apariencia inexistente, afianzando su ser a través de una historia continuada. La Enfermera encarna el ideal de ayuda al prójimo y toma tanto el aspecto de una enfermera moderna como el de Eleanor Nightingale. El personaje que menos se ha desarrollado ha sido la Estrella de cine negra al ser Antin consciente que ser negro no era en sí mismo una profesión, mientras su transformación en Rey ha seguido una evolución parecida a la de los otros personajes. Una de las primeras formas que el Rey tomó fue la encarnación de Carlos I, pasando luego a convertirse en un rey negro, *El Desdichado,* tal vez uno de sus más populares caracterizaciones.

Cuando, llevando la mascarada a las extremas consecuencias, en 1980 decidió pasar dos semanas en Nueva York vestida de bailarina negra, al encontrarse en una galería tuvo ocasión de comprobar la forma en que era observada por un chico de color que había ido a entregar algo al local. Se preguntó entonces si el muchacho había percibido el engaño o si se había

[12] Recogido en Whithers, 1986, 117. Ver también Apple, 1988.

sentido incómodo al notar algo raro, incluso pretendiendo no verla. "Imagino que reacciona intuitivamente, como consecuencia de una larga experiencia ante señales mezcladas o imperfectas, del mismo modo que reacciona la gente de color en general ante determinadas señales —y elimina el problema rechazándolas del mismo modo que me rechaza a mí. Es el viejo truco de los débiles, resolver el problema haciendo que no existe. Como mujer yo también he usado ese truco"[13]. Pero en esa ocasión Antin es la fuerte, a pesar de conocer las estrategias de los débiles a partir de sus propias experiencias —a veces los papeles se cambian. Así, su disfraz de rey negro al que llama *El Desdichado,* simboliza el juego de los opuestos en el que un rey —el hombre poderoso— no sólo es negro —parte de una minoría— sino infeliz.

La revisión del yo que tanto ha preocupado a numerosos artistas en las últimas décadas, esos egos alterados, ha dado origen a exposiciones como *Self as Subject* (Katonah, 1988)[14], *Self-Postrait: the Photographer's Persona 1840-1985* (MOMA, 1985-86) o la muestra del Whitney Museum (1988-89) *Identity: Representactions of the Self*[15].

Estas exposiciones probarían que los artistas se siguen interesando por la propia representación. Muchos de ellos optan por una imagen fraccionaria, relativa, desenmascarando su movilidad, su falsedad e incluso la imposición que sufre desde la voz en *off.* Ya no se trata de *salir guapos* como Durero, sino de poner al propio *yo* en tela de juicio porque, en última instancia, lo importante no es cómo se ve uno o cómo le ven los demás, sino cómo debe verse uno mismo y qué imagen debe proyectar hacia el exterior; cómo ven los demás aquello a través de lo cual uno se ve a sí mismo. Pero, ¿quien es uno mismo?

Lo verdaderamente interesante de este planteamiento general, además de la revisión del yo, del rol y de todo lo que socialmente se da por bueno e inamovible, es el final de la androginia como disfraz del *otro.* Uno de los casos más curiosos es sin lugar a dudas Laurie Anderson, quien incongruentemente llegó al número uno de ventas con una canción antipatriótica, *O Superman.* Las estrategias de la *performer* se basan, como en muchos otros casos, en una distorsión del *yo,* pero ésta no se manifiesta sólo en la imagen andrógina con la que sale a escena —eso no haría sino recoger la tradición de las mujeres que se replantean lo femenino desde sus mismas raices. Anderson representa varios estereotipos americanos sin alterar la imagen ambigua: así lo andrógino pasa de disfraz a esencia del *yo.* Entonces, igual que Madonna, aunque con una estrategia radicalmente diferente, lleva a la mirada a preguntarse quién es Anderson en realidad: ¿una presentadora de televisión un poco tonta —"qué es más macho..."—, la madre que deja mensajes en el contestador —"hi, this is your mother"—, el comandante de unas líneas aéreas a punto de chocar "we are about to attempt a crash landing"—, un secretario enano —*What do You Mean Us* o una mujer rica con un cerebro impositivo— "Babydoll"? Porque aunque sea un capitán, una madre o una presentadora *sexy,* su imagen externa —andrógina— sigue inalterable, inalterable además a través del tiempo.

[13] Withers, 1986, 119.
[14] Raynor, 1988.
[15] Woodward, 1989.

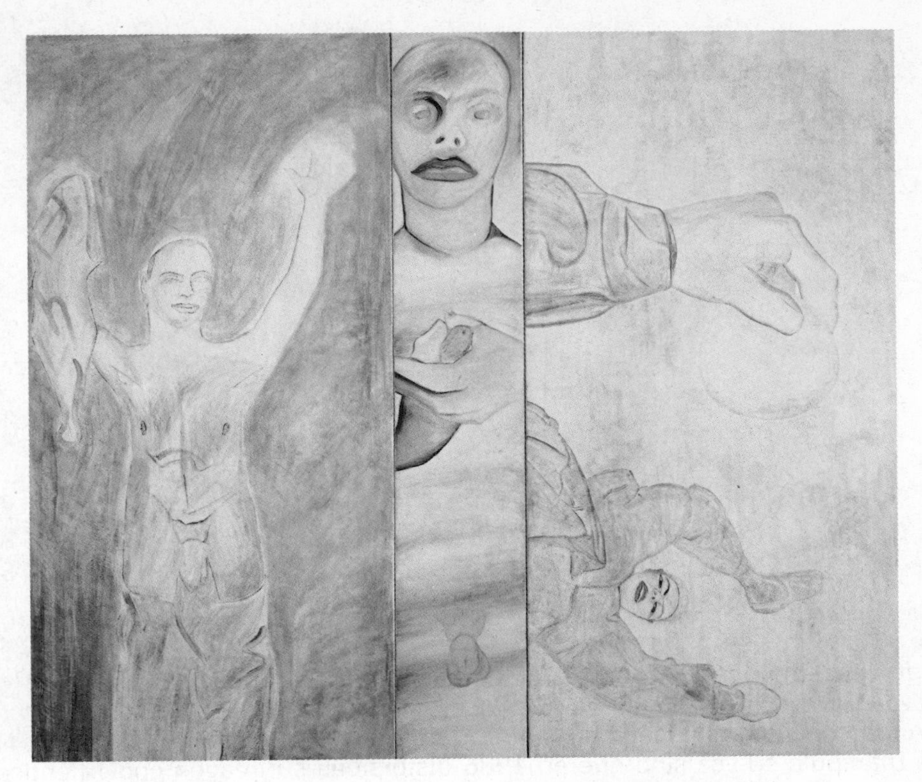

Clemente, *Conversion to Her,* 1983 (Cortesía del MOMA).

No es la imagen lo que conforma a los personajes, sino la voz, el tono de la voz. Algunos de estos personajes son poderosos, otros menos y sin embargo Anderson se presenta siempre externamente disfrazada de hombre, se apropia de los símbolos masculinos y ciertamente se proyecta poderosa.

Pero no es poderosa porque se vista andrógina; es poderosa porque se siente poderosa a partir de la voz distorsionada, masculinizada, que le permite decir más cosas, otras cosas que tradicionalmente la mujer, sin voz, no ha podido decir. Hoy en día el travestismo ha dejado de ser lo que Peter Ackroyd definía como "signo de un destino a menudo extraordinario"[16]. Ahora que la moda permite —exige— coquetear con la androginia el travestismo ha perdido su valor ritual; en un momento en que las mujeres se visten de hombre por costumbre, como norma, la androginia ha dejado de ser un valor transgresor y es incapaz de expresar una apropiación del rol del *otro*.

Como la mayoría de las mujeres de los 70-80, Anderson no se disfraza de andrógina, *es* andrógina y la clave de lectura de su poder no es el aspecto sino la voz, algo que descubre por casualidad, como ella misma comenta. Un día, inesperadamente, con el micrófono en la mano se da cuenta de las posibilidades de la voz: "Sostener el micrófono era como estar en París. En cuanto llego a esa ciudad, mi voz se hace más aguda. Parece que canta. Noto

[16] Ackoyrd, 1979, 37.

Miguel Peña, s. t., 1987 (Cortesía de la Galería Seiquer, Madrid).

cosquilleos, me pongo otra ropa. Actuo afectadamente. Mi voz travestida"[17]. Y esa voz travestida acaba por ser las voces de América.

Anderson situa al espectador ante un mundo de travestismo mecánico. No sólo manipula su voz sino que en 1986 distorsiona su imagen convirtiéndose en un enano, el secretario, porque desde que es famosa ya no puede trabajar, dedicada sólo a las entrevistas. El secretario es quien hace el trabajo mientras ella lee el periódico, trastocando los *roles* tradicionales, el hombre es ahora quien produce, quien es explotado por la mujer, igual que han hecho los hombres durante siglos, y obliga a recordar cómo a menudo las mujeres han creado para los artistas y cómo ellos se han apropiado de su obra. No obstante, el juego pone en evidencia algo importante: este hombre no tiene entidad propia, es el otro yo de la *performer,* lo esquizofrénico que sólo existe en tanto en cuanto ella existe y no sólo porque su cuerpo ha sido la base para esa transformación mecánica y porque ella lo ha creado, sino porque Anderson/mujer es la imagen que el público conoce. Ella es quien tiene el poder y sin ella, todo lo que él haga será inútil porque es el *show busines,* como en el mundo del arte, lo importante es la imagen que se proyecta y en este caso también está claro quien manda.

Esa generación de artistas no es fruto sólo de un replanteamiento de roles, de la aceptación de la bisexualidad, ni de la androginia vista no como estrategia política sino como revisión del *yo.* Es la generación de la distorsión mecánica —foto, vídeo, sintetizador, ordenador— que le permite jugar a juegos antes insospechados y, sobre todo, plasmar físicamente la fusión visual del yo y el otro. De hecho, la manipulación mecánica de la imagen ha logrado plasmar con una increible exactitud la forma más extendida de androginia: la fusión.

[17] Anderson, 1979, 45.

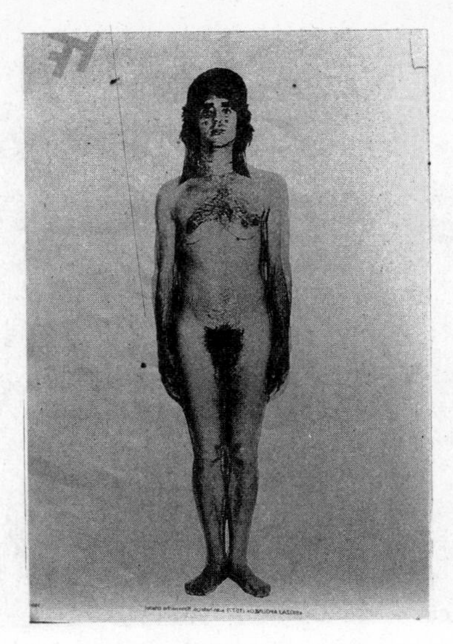

Juan Hidalgo,
Biozaj Apolíneo, 1977.

Numerosos pintores contemporáneos se han preocupado del tema andrógino de forma más o menos clara. Clemente realiza obras en las que plantea la conversión al otro sexo recurriendo a una pintura secuencial y fragmentaria —*Converting to her*— o a través de las típicas representaciones semihermafrodíticas herederas de la tradición surrealista —*Two Lovers.* Otros artistas como Peña optan por el juego de los hermanos indiferenciados presentando cuerpos fuertes e indistinguibles. En todo caso, ninguno de estos pintores consigue los resultados de los nuevos medios electrónicos o magnéticos: las transformaciones en pintura son más lentas, menos visibles.

Los artistas que experimentan con la fusión física del *yo* y del *otro* pertenecen en su mayoría a una generación prendida del personaje, de Hollywood. Aunque luego se opongan a esa misma dialéctica o falta de dialéctica retoman la técnica para manipular el propio cuerpo. La técnica es la que en última instancia transforma los cuerpos en cosas ajenas a ellos o en la parte desconocida de ellos mismos. La androginia es el referente imposible, como dice Pacteau, hasta la llegada de los medios de reproducción mecánica. La esencia de la androginia, la fusión, sólo llega a ser representada gráficamente a través de esos medios; el resto son efebizaciones, masculinizaciones o representaciones imperfectas, más hermafrodíticas que andróginas, la parte contrapuesta al todo. La foto hace explícita esa fusión, como muestra un ejemplo de los 70, *Biozaj Apolinea* (1977) de Zaj, en el que dos cuerpos desnudos —masculino y femenino— se funden.

Estas fusiones, muy explotadas también en el arte por ordenador, permiten plantearse qué predomina —lo femenino o lo masculino. En este caso hay un predominio de lo segundo pero al tratarse de un proceso casi seguramente no neutral, la manipulación de la foto está sujeta al resultado que el artista buscaba. El arte por ordenadores define la neutralidad que Nancy Burson

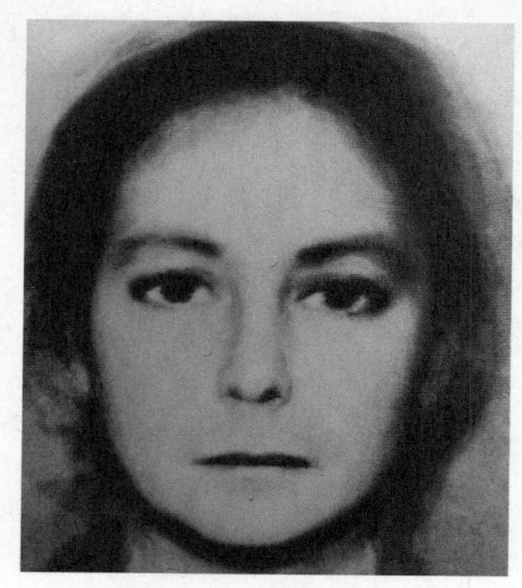

Nancy Burson, *Androgyny,* 1982.

explota en una experiencia de 1982, una serie de superimposiciones por ordenador de fisionomías. Sobre *Androginia* la autora hace este tipo de reflexión: "Para que estas caras de hombres y mujeres fueran imparciales pensé que era importante mezclar doce rostros absolutamente diferentes. No esperaba ningún resultado concreto pero de todos modos me sorprendió comprobar que dominaban las características femeninas, si bien luego me di cuenta que lo femenino predomina siempre que se mezclan elementos masculinos y femeninos. La única característica masculina aquí es la boca: si se tapa la boca aparece un rostro completamente femenino. Tal vez un motivo de este resultado se halle precisamente en el proceso —cuando se mezclan caras "corrientes" los rasgos tienden a dulcificarse, de tal modo que se leen como más femeninos. De todos modos, prefiero pensar que en una dimensión más amplia todos somos concebidos como mujeres. Para la mayoría de nosotros, en una primera mirada casi todos los niños parecen niñas. Lo femenino es primario. Nos desarrollamos a partir de ello"[18].

En 1989 Burson lleva a cabo otro experimento semejante con David Kramlich. En este caso es un juego que permite fundir el propio rostro con otras caras de famosos, sin duda un tipo de truco popular que han explotado los dibujantes al tratar de imaginar cómo será un determinado personaje años más tarde. La aceptación de este juego —¿quién no ha querido alguna vez saber cómo sería su rostro mezclado con el de un famoso?— se pone de manifiesto en una curiosa serie de postales impresas en Holanda en 1987 en las que aparecen increibles transformaciones —de Reagan a Madonna, de Elvis a Bardot o de Stallone a Marylin—, con la particularidad que la postal, dividia en seis cuadrados siguiendo el esquema de una historieta, presenta el

[18] *Composites,* 1986, 94.

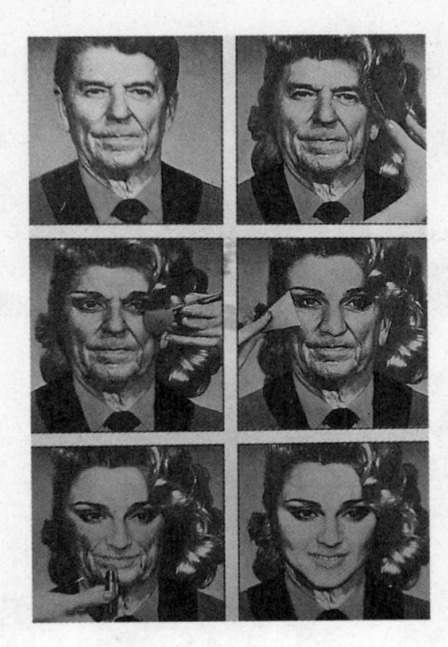

Postal publicada en 1987.

proceso mismo de cambio y al final hace dudar si realmente con un poco de maquillaje aquí o allá, esos personajes no eran bastante semejantes.

Un experimento parecido es el que lleva a cabo William Wegman en la obra *Family Combinations* de 1972. En ella muestra seis fotografías de pasaporte colocadas horizontalmente; en la fila superior aparecen una suya, otra de su padre y otra de su madre y en la inferior superimposiciones de padre y madre, de madre e hijo y de padre e hijo. Como comenta Lyons "la superimposición (da como) resultado una cara familiar sin sexo ni edad"[19]. Al tomar como punto de partida a los padres está formulando la típica pregunta —qué tengo de mi padre y qué tengo de mi madre— si bien contribuye a otra sensación ambigua: al final los miembros de una familia acaban por parecerse aunque no los unan lazos de sangre.

Este experimento es posterior al que lleva a cabo en 1971 a partir del retrato de dos gemelas idénticas *Lyyn Lynn/Terry Terry,* en el que muestra las caras de las hermanas a los dos lados y en el centro un ser clónico fotográfico que ha creado uniendo en el laboratorio las fotos de las gemelas. Wegman es un impenetrable aficionado al transformismo, punto de arranque también de las obsesivas mutaciones de su perro, Man Ray, convertido en vampiresa, gran dama, elefante...

La fotografía permite los auténticos juegos andróginos o de transformismo, propicia una sofisticada maquinaria de introspecciones visuales mucho más eficaz que la de la pintura, en cierto sentido por su capacidad natural de mostrar la transformación y el proceso, por su secuencialidad innata. El medio en sí mismo, falsamente obvio, juega descubrir pero sólo encubre, como sucede con lo andrógino. La foto publicitaria ha explotado su capacidad

[19] *Wegman's Workl,* 1983, 17.

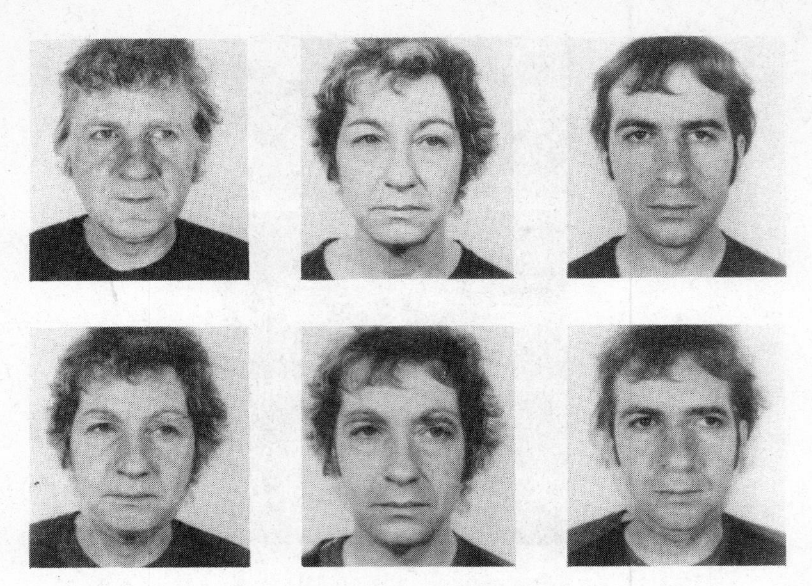

William Wegman, *Family Combinations,* 1972 (Cortesía de la Galería Holly Solomon, Nueva York).

para la fusión de lo femenino y lo masculino en casos como la propaganda de la Galería del Prado en Madrid, algunos ejemplos de *Comme des Garçons* o la publicidad de Moschino de 1989 —el modisto con piernas larguísimas junto a otro Moschino con peluca platino del brazo de un tercer Moschino sin peluca.

En 1980 Cindy Sherman se retrataba con Richard Prince; eran dos fotografías gemelas, ambos vestidos de forma idéntica. Sin duda Sherman[20], más *performer* que fotógrafa, es la mayor transformista del panorama artístico contemporáneo, entretenida constantemente en la definición de sus nuevos egos o disolviéndose en ellos. Sherman es quien lleva a sus extremas consecuencias la gran polémica en torno al tema de la mujer objeto/sujeto y consigue ser todas esas cosas que abrumaron a Hesse; es a un tiempo el objeto de sus propios oscuros deseos y el sujeto que los goza y los padece.

Sherman, autoobjetualizada, se viste de guapa, de fea, de hombre, de sí misma, del *otro*... y deja así de ser una mujer que habla de las mujeres para ser una mujer que habla de sí misma, si bien libre de toda sospecha narcisista. Como ella misma comenta, quiere más bien que la gente se identifique con esos roles que puede representar[21]. Sherman no es la chica guapa que se retrata complaciente, sino una *performer* que utiliza la fotografía siguiendo unos esquemas muy conceptuales: la fotografía sirve para *guardar* el acto, sin éste, la fotografía no tendría sentido alguno. Al mismo tiempo, como una eficiente directora de cine, fragmenta muy cinematográficamente[22]

[20] *Cindy Sherman,* 1987.

[21] Recogido en Raynor, 1988.

[22] Como comenta Crimp (1988), la foto nos presenta lo que en los 50 se conocía en Estados Unidos como "una chica de carrera", una profesional. La forma en que la artista se presenta —se

Publicidad de Jean Paul Gaultier aparecida en *Marie Claire* en 1985.

Publicidad de Moschino aparecida en *Vanity Fair* en marzo 1989.

Richard Prince, s. t., 1980.

haciendo que la mirada reflexione sobre una popular frase de Anderson: "Arte e ilusión/Ilusión y arte. ¿De verdad estás aquí o es sólo arte?/¿De verdad estoy aquí o es sólo arte?".

Sherman es la perfecta heroína postmoderna, como Prince o Madonna, que se disfraza de *todas* y que a partir de la imagen de los medios, acaba por poner en evidencia sus estrategias de falso espejo que promociona identificaciones alienantes. Por eso cuando estábamos acostumbrados a las mujeres *sexy,* se retrata muerta en 1985.

La foto con Richard Prince es uno de los pocos ejemplos de Sherman masculinizada —exceptuando una fotografía del 82 en que aparece con modales y vestidos masculinos que se ajusta más a la imagen de una mujer dura. Las fotos gemelas basan su similitud no sólo en el aspecto, sino en la gestualidad y, esencialmente, en la secuencialidad. Son dos momentos de una escena, un personaje es el doble del otro, y al seguir los gestos —una mano sobre la boca, etc...— la mirada se pregunta si se trata del artista y su doble o del mismo personaje tomado desde dos ángulos diferentes.

manipula, no manipula la realidad— y los rascacielos del fondo nos dan pautas de lectura. La artista se convierte en una muñequita provinciana, aquí como en otras tantas fotos, y se ofrece a la mirada dominante como una chica vacía, exactamente como la quiere la mirada dominante. A Sherman le interesan sólo las apariencias. Después de ver mucha pornografía en el *loft* de David Salle sabe que allí residen los verdaderos estereotipos y de ahí hay que partir porque el yo es una construcción imaginaria. La distorsión perversa de las técnicas fotográficas hacen que los rascacielos enfaticen el peligro indefinido de esta chica sola en la ciudad a la que alguien parece perseguir. Igual que en el cine, sabemos que algo está pasando, aunque no sepamos qué. Los edificios aislan a la mujer y crean una ansiedad profunda e indeterminada que enfatiza algo opuesto a las estrategias fotográficas que se presentan como una transcripción de la realidad, un fragmento espacio temporal, o como que trasciende esa cualidad. Estas fotos también son fragmentos, pero su fragmentación no es una cita de la continuidad natural.

Cindy Sherman,
Untitled 112, 1982.

Es una forma de replantear la mirada dominante que no sólo divide en géneros sino en razas y clases; una mirada que pretende hacernos ver aquello que no existe sino en su mundo construído. Partiendo del concepto de engañosa verosimilitud se juega a distorsionarla con sus mismas estrategias. Es el desenmascaramiento de las contradicciones de la visión impuesta: la publicidad nos anima a comer y nos anima a mantenernos en forma.

Los artistas han aprendido mucho desde los años 70. Saben, por ejemplo, que la sexualidad es algo sutil que no compete al pene sino al falo. Han aprendido, además a engañar a la mirada con un "si usted creía que...": creía usted que estaba ante un anuncio de cosmética y resulta que se ve obligado a enfrentarse a sus imposibilidades y a las del otro (Kruger); creía que tenía la casa llena de artistas de Hollywood y acaba por darse cuenta de que es siempre la misma mujer muerta (Sherman). Creía tener un Walker Evans y por el mismo precio se ha llevado a casa el ser humano que existía antes de la foto (Levine). Creía que leía una noticia sobre el tiempo en Times Square y estaba leyendo un insulto (Holzer). Creía que la chica se iba a desnudar y le recuerda cosas que había venido a olvidar (Finley). Creía que Anderson por fin ganaba suficiente dinero como cantante pop para contratar a un secretario enano y resulta que es Anderson automanipulada.

La entera sociedad occidental en una enorme coincidencia de opuestos naturalmente irreconciliables. Aunque también es posible que el montaje social haya hecho aparecer como opuestos cosas que en realidad no lo eran. En *San Sebastián,* Robert Colescott retoma la iconografía clásica de la tradición cristiana y la viste de significados diferentes para hablar de las interrelaciones raciales, del destino común de los hombres y la idea de la supervivencia: "San Sebastián es esta figura simbólica mitad negro, mitad blanco, mitad hombre, mitad mujer. Bien, las flechas se disparan contra

Pierre y Gilles, *Allyson y la paloma,* 1981.

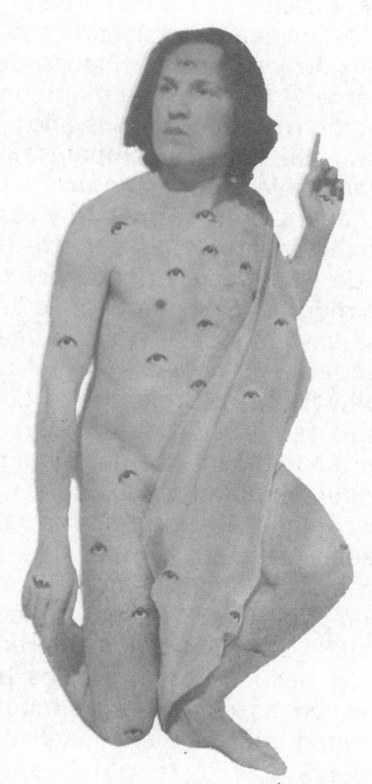

Contribución de Luigi Ontani para *Interview has eyes for you, Interview,* (Nueva York), marzo de 1990.

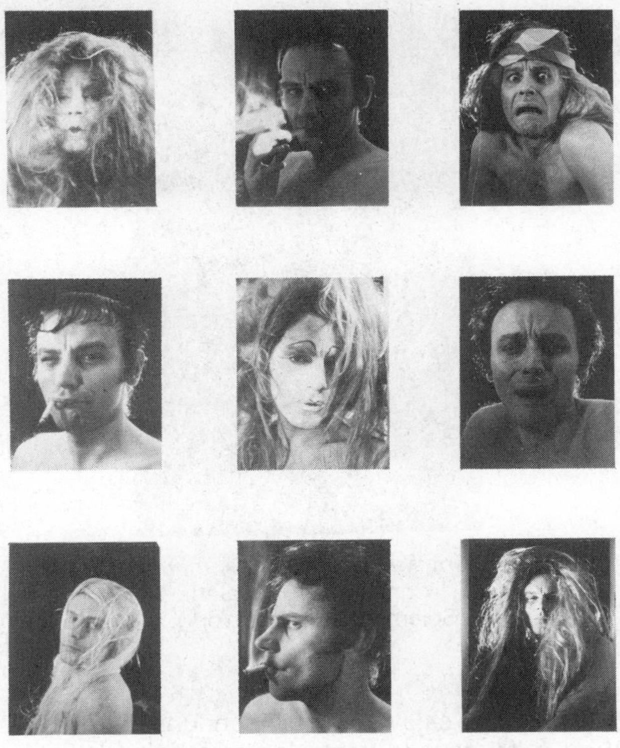

Lucas Samaras, *Phototransformations*, 1973-6.

Robert Mapplethorpe.
Autorretrato, 1980.

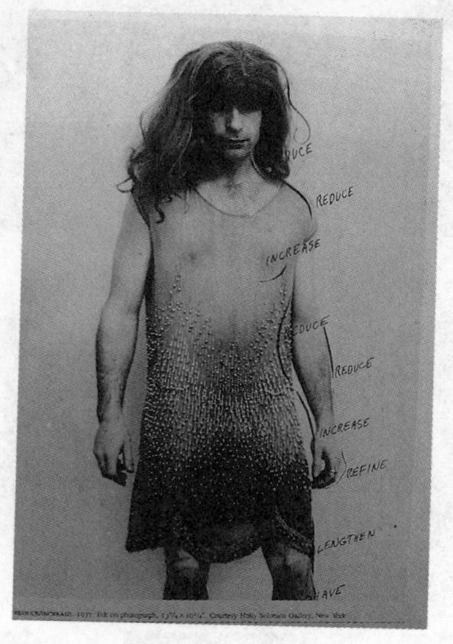

William Wegman, *Reduce/Increase*, 1977, (Cortesía de la Galería Holly Solomon de Nueva York).

nosotros. Luego están las calaveras que son una amenaza al olvido. Esta imagen recuerda a menudo a la gente las matanzas de judíos por Hitler en los campos de concentración o alguna otra fuerza que acaba por destruir"[23].

Algunos artistas siguen cultivando la imagen andrógina adolescente, sexualmente indiferenciada —Pierre y Gilles, David la Chapelle o el mismo Luigi Ontani, quien utiliza su cuerpo —antimusculoso— como lugar de representación en el retrato de Adán y Eva diferenciados sólo por elementos simbólicos[24] —pero incluso en esos casos subyace una revisión implícita del yo. Lucas Samaras se traviste de mujer pero también se traviste de otras cosas[25] del mismo modo que lo hace Robert Mapplerthorpe[26]. En los retratos fotográficos de Samaras el artista aparece como unas mujeres imposibles. Mapplerthorpe se autorretrata maquillado, mostrando una parte del proceso. Ante el rostro maquillado del artista nos atrevemos a pensar si el proceso se quedará ahí o si se prolongará más allá, hasta límites vetados a la mirada del espectador. Se ha maquillado como una mujer, pero quizás horas más tarde llegue a parecer una auténtica mujer. Nunca lo sabremos.

Es un proceso parecido al de la foto de Wegman en la que el hombre aparece vestido de una poco creible mujer sobre la cual se han dibujado las instrucciones de aquello que habría que cortar o siliconizar. Parece la foto médica de un cirujano plástico y sin duda se enraiza en la tradición de obras de Warhol como *Where is your Rapture?* A partir de las caras de los padres

[23] De los estractos de conversaciones con Robert Colescott (*Robert Colescott,* 1989).
[24] Recogido en la exposición *Androgyny in Art,* 1982.
[25] *Samaras,* 1987.
[26] *Robert Mapplethorpe,* 1988.

creaba otro tipo de cara; de idéntica manera a partir del cuerpo de un hombre crea un cuerpo de mujer. Pero en última instancia nos hace pensar si eso es verdaderamente realizable en el quirófano o en la representación. Si no propone al fin la manipulación de la foto, sin ninguna propuesta de manipulación real en el cuerpo. Si todos los cuerpos no acaban por disolverse en el medio mismo y si en la fotografía no acaban por resolverse las diferencias. Si la representatividad de lo sexual en cuanto sexual no puede solucionarse con una manipulación del negativo simbolizando de este modo su final.

4

La vuelta de los supersexuales: al final Madonna se viste de hombre

En la era de la cirugía estética todo parece posible. Esos cuerpos que no hablan, desde siempre manipulados por algo completamente separado de ellos han tratado de adaptarse a los deseos parlantes, los que conforman sus cuerpos sin cuerpo.

Cuando la androginia ha presenciado su final, precipitado por la crisis del SIDA, el hombre se ha visto obligado a reconstruirse masculino —supersexual— y ha vuelto los ojos hacia el modelo de Brando, un cuerpo ajeno a él. Pero a lo largo de la historia el hombre ha estado mucho menos desposeido de su cuerpo que la mujer. El cuerpo del hombre ha sido más estable o, al menos, no ha sufrido cambios tan drásticos como ese misterioso ente móvil, el útero histérico y poderoso a un tiempo. Las mujeres —sólo cuerpo históricamente— han tenido que redefinirse desde dentro por partida doble: encontrando la verdad de su cuerpo físico y buscando ese poder que debía existir en alguna parte fuera de su propio cuerpo. Después de un siglo de masculinización paulatina a las mujeres se les han exigido de nuevo ser supersexuales y han descubierto asombradas cómo les resultaba difícil reconstruirse como tales: lo que culturalmente se considera como femenino se ha diluido a través de los diferentes procesos impuestos durante el siglo, pues incluso las dóciles mujeres de los 50 integraron a sus hábitos los pantalones, los cigarrillos y las motos.

El paralelo de Brando resultaba ser la superfemenina Marilyn, que en un momento que se presenta como el epítome de la supersexualidad —los 50— se convierte en el epítome del epítome. Marylin Monroe es la mujer perfecta, es, igual que los actores del kabuki, tan perfecta como el mejor travesti o incluso más porque la mirada masculina la ha construido no sólo *sexy* sino dócil. Es la mujer disfrazada de mujer que parece haber salido de la propuesta de Wegman: aumentando y disminuyendo aquí o allá se obtendrá

Divine, 1988.

aquello que desde ahora es lo femenino. Pero Marilyn es una perdedora que no existe fuera del deseo en la mirada del espectador que la crea. Las mujeres contemporáneas han aprendido que esa mirada se construye, han retomado el modelo —lo arrebatador de una Marylin travesti— y dándole completamente la vuelta han fingido ser construidas por esa mirada dominante —masculina— aunque construyéndola a su vez.

Quizás ese conjunto de posibilidades haya hecho del modelo propuesto por el travestismo, también *sexy* pero descarado —y sobre todo voluntariamente *sexy*— una aproximación profundamente atractiva porque representa ese tenerlo todo a mano, el divino hermafrodito, la pura sexualidad de tramoya. El travestismo ha sido frecuente referencia en las artes visuales o el cine como una tercera opción, la propuesta de una piel diferente, el único lugar real de transformación. Deseado y despreciado históricamente, define todas las imposibilidades humanas que en él adquieren la apariencia de posibles por su teatralidad implícita. Cocteau y Man Ray se fascinaron por el delicioso Barbette y en la historia de la literatura se han descrito repetidamente verdades y mentiras sobre la vida de travestis y transexuales.

Desde los años 60 en que las relaciones de género se plantean abiertamente, el cine *underground* retoma y recrea modelos travestis y transexuales a menudo en clave de humor pero con la intención última de desenmascarar las contradicciones de la sociedad desde esa nueva propuesta de roles. En el

Christer Strömholm,
Retrato, 1960.

musical *Rocky Horror Picture Show* una pareja burguesa, representante del más puro conservadurismo americano, acaba en el castillo de un extraño vampiro —"travestido de la Transilvania transexual"— donde reina una vida orgiástica a la que curiosamente no tardan en integrarse a pesar de las reticencias iniciales.

El cine de Warhol/Morrissey parte también de la figura del travesti en personajes como el sheriff de *Lonesome Cowboys* o de los cambios de roles en *Chelsea Girls,* actitud que Cuckor veía como refrescante al obviar todo sentido de culpa[1]. En el fondo, la misión última de estos personajes es bapulear el universo de la "gente como nosotros", conducir la mirada hacia un mundo que no desea ver y que al mismo tiempo le fascina como todo lo prohibido, igual que a los dos jóvenes de *Rocky Horror* —no en vano ésta se convirtió, contra todo pronóstico, en una película de culto. A través de un replanteamiento del género y los hábitos sexuales, arrastran a la mirada dominante hasta lugares de lo antiestablecido ni siquiera sospechados, como sucede en las películas de Waters protagonizadas por Divine. Un travesti inverosímil, la parodia consciente del travesti, guía al espectador atónito por el submundo ridículo que acaba por atrapar en la inmesidad de su horror. Las otras *mujeres,* como decía Barry Kay para denominar a la comunidad travesti de Sidney, se convierten en metáfora del auténtico mundo al revés.

Kay explica su interés por este grupo social que ha ido creciendo "cuanto más consciente he sido de la enorme disparidad que existe entre esta subcultura y la sociedad de la que emerge" —en el caso de Australia, además, una sociedad extremadamente rígida y fundamentada en valores victorianos[2].

[1] Sobre el problema del cine *underground* y su uso del travestismo, Bell-Metereau, 1985, 118-125.

[2] Kay, 1975 s. p.

El interés del fotógrafo por esta subcultura tampoco es raro y numerosos artistas han querido explorar el significado último de ese ideal. El fotógrafo sueco Strömholm, que entre 1959 y 1962 vive en el barrio chino de París y lo fotografía, describe de este modo la percepción de esos hombres travestidos: "Conocí a una chica llamada Dolly. Trabajaba en un cabaret y le hice fotos. Cuando fui a entregarselas, Dolly abrió la puerta —pero iba vestido de hombre. Los conoces del mismo modo que conoces a tus amigas"[3]. A propósito de esos mismos travestis comenta Timo Sundberg: "El hombre transexual en los bares, parece una mujer; desvestido y sin maquillaje, parece un hombre. Pero la verdad no se encuentra debajo del pesado maquillaje: la auténtica persona no es aparente siquiera desnuda. Porque debajo de la piel hay otra mujer y esta vez como la auténtica imagen de sí misma"[4].

El misterio ha estado siempre inscrito en el ideal, algo que ha fascinado a los artistas. El cuerpo de un hombre, la cara de una mujer. ¿Cuál la realidad y cuál la metáfora? Al fin, ¿qué verdad capta la verdad de la fotografía del travesti que el sueco hace en 1960? ¿Al hombre? ¿A la mujer? ¿Cuál de esas tres epidermis plantea, si plantea alguna —la exterior mujer, la media hombre, o esa otra mujer en lo más profundo de ella misma? ¿Qué verdad cuenta detrás de la aparente verdad? Tal vez ninguna. Tal vez, esta foto describe sólo el lugar de la vulnerabilidad. Hay algo vulnerable en la seriedad ritual de colocarse la peluca. Algo vulnerable en esa sombre de pelo por encima del labio superior, a pesar de las depilaciones dolorosas. Se trata de la vulnerabilidad del deseo y la vulnerabilidad del ideal, un ideal suave y enmallado que raspa con las primeras luces del día.

Hacia las nueve y media de la noche Dolly es suave; hacia las seis de la mañana el esfuerzo se disuelve en una barba incipiente que sombrea con el amanecer. Su belleza reside sobre todo en esa ulterior capacidad de transformación involuntaria, allí mismo, en la cama, mientras se acaricia la piel. Y entonces se aprende a quererlas en su tragedia de vulnerabilidades, tan vulnerable como el deseo de acariciarlas y se aprende a conocerlas como se conoce las amigas. El pelo incipiente delimita cada amanecer el final de un sueño y Denis O'Sullivan lo describe en *Travesti con media rota.* Es un travesti de cierta edad, el seno ajado, la media rota y el pelo descuidado: sobre el labio superior la sombra delatora se ha convertido abiertamente en un bigote.

Por eso testimonios como los de Sunberg y Strömholm pueden tal vez parecer hoy en día naif ya que creemos poder distinguir no sólo una mujer de un travesti, sino un travesti de un transexual o un homosexual disfrazado de mujer. El entorno "normal", la "gente como nosotros" ha aceptado a los travestis del mismo modo que acepta lo irremediable —en este caso fascinado por el ideal o por lo diferente, como parte de ese nuevo circo una vez eliminado el circo de las mujeres barbudas. En una sociedad hipócrita como la nuestra se impone la aceptación de todo aquello que en realidad se desecha conceptualmente: tercera edad, minusválidos, transexuales... Es una sociedad de ganadores —de cuerpos perfectos— lo imperfecto se aborrece y

[3] Richardson, 1990, 2.
[4] Richardson, 1990, 2.

Denis O'Sullivan, *Travesti con media rota,* hacia 1982.

para limpiar la mala conciencia que nace del puritanismo se hacen campañas interminables de aceptación de lo diferente.

En el caso de las "anomalías sexuales" la batalla contra el rechazo es mucho más fuerte por las implicaciones morales que conlleva y porque a la hipocresía y el puritanismo se une la represión. Lo diferente se acepta sólo mientras no significa una amenaza social. Después de siglos de lucha homosexual para conseguir una discreta integración, a raíz de la crisis del SIDA ha proliferado una tremenda homofobia en determinados países —sin duda una excelente oportunidad para liberar los deseos reprimidos.

Pero Strömholm y Sundberg no hablan de distinguir a esas mujeres sino de conocerlas, de descubrir la vulnerabilidad que se esconde bajo el ideal. Establecen el territorio de la tragedia en la que se debaten Dolly y sus amigas. Son veneradas por la noche en el club, pero no son ellas sino la proyección del deseo en la mirada del que mira, como sucedía en el caso de Miwa Akihiro. Así, cuando Strömholm habla de Dolly en casa, vestida como un hombre, describe el cuerpo del travesti como el único verdadero lugar de transformación, en el que el pelo se convierte en frontera del deseo a intervalos regulares. Dolly era exactamente así, como se la ve, vistiéndose delante del espejo, en un cuarto del barrio chino de París. Son las nueve y media y se transforma para su espectáculo. O para buscar a sus clientes. Se acostarán con una mujer, se levantarán con un hombre y a través de la transformación de la piel —los pelos en la piel— observarán algo perturbados que en realidad han dormido con el deseo vulnerable, con la nostalgia del ideal.

Quiénes son, realmente, Dolly y sus amigas, esas mujeres a las que creemos conocer o por lo menos distinguir. Para la psicología moderna el travestismo plantea problemas graves ya que no es el absoluto un proceso único

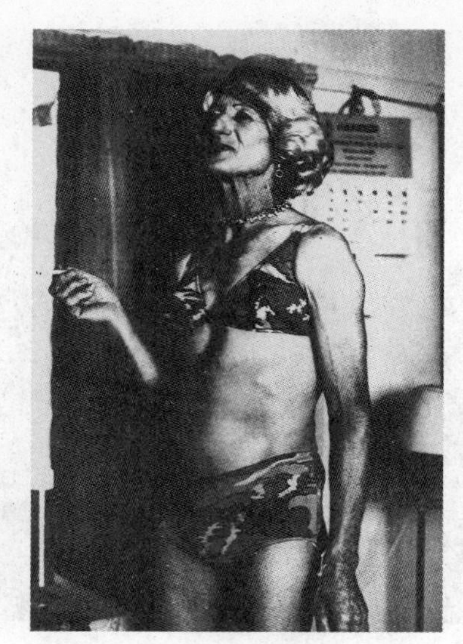

Retrato de Alice, años 70.

sino que tiene muchas aproximaciones diferentes. Travestirse no implica deseos homosexuales o deseos de convertirse en mujer, sino que puede estar ligado a ritos fetichistas o de otra especie manteniendo los travestidos una vida sexual normal dentro de su sexo biológico —a veces incluso casados. Estadísticamente sólo muy pocos de ellos desean operarse y llegan a hacerlo[5], en algunos casos por el temor a un mayor rechazo social. Por otra parte la operación es cara —otra vez un problema de clase— y muchos de los que se conviertan en mujer técnicamente hablando no encontrarán un trabajo integrado y sobre todo femenino, tan necesario para su ajuste psicológico[6]. La mayoría de ellos no conseguirán integrarse en lo que se llama una "vida normal", porque a la gente le resulta difícil convivir el día a día con una mujer que ha sido hombre, y se ven obligados a ganarse la vida

[5] Dewhurst y Gordon (1969, 101-108) definían tres tipos: el travestismo sintomático —síntoma de homosexualidad o fetichismo; el simple, se limita al deseo de vestir o comportarse como un miembro del sexo opuesto y el transexualismo —el famoso concepto del hombre atrapado en el cuerpo de una mujer. Brierley (1979, 19 ss.) se pregunta si el travestismo es una enfermedad, una perversión o un hábito y Gosselin (1980, 56 ss.) define varios tipos: el pseudotravestido, que utiliza el travestismo como una posibilidad de exploración; el fetichista; el auténtico, como los dos anteriores se clasifica como masculino pero está menos convencido; y el transexual. Para definir este último tipo se basa en los trabajos llevados a cabo en Sidney en 1977, en los que se incluye en esta categoría a jóvenes, solteros, vestidos de mujer, diciendo que tuvieron experiencias homosexuales en el pasado, una identidad de género femenina —solían sentarse para orinar— y plantean el deseo de operación de cambio de sexo. Contrariamente, los travestidos estaban mucho más interesados en lo heterosexual, sólo se travestían parcialmente, eran mayores, generalmente casados y decían que la ropa femenina que se ponían les excitaba sexualmente. Bolin, 1988, estudia el fenómeno concreto de la transexualidad centrándose en 16 hombres que se convirtieron en mujeres.

[6] La prueba última de haber alcanzado la condición de mujer es tener un trabajo adecuado y muchos asistentes sociales piden que se encuentren esos trabajos a los pacientes que desean

John Bilotti, Fotografía de
Leight Bowery, 1988.

Joe Brainard, *Nancy,* 1972.

en la subcultura como muestran los documentos en la línea de la película española *Vestida de azul*[7].

Algunos de estos problemas han sido explorados en forma de documental —como en la película "Llámeme señora" de Françoise Romand— o de ficción —algunas muestras del cine de Pedro Almodovar. Los 80 parecen haber sido la década del transformismo que también ha recogido una obra teatral en cartel a raíz de una extraña noticia de travestismo y espionaje que saltó a la prensa hace unos años: *M. Butterfly* de David H. Hwang, donde se narraba la historia de un hombre que vivió durante años con otro sin llegar nunca a sospechar que no se trataba de la mujer que aparentaba ser.

cambiar de sexo (Bolin, 1988, 153). Finalmente, los transexuales tienen serias dificultades para encontrar un trabajo fuera del mundo del espectáculo o la prostitución.

[7] La película narra el día a día y los desengaños de algunas de estas mujeres —una parte de ellas incluso viviendo una vida normal de pareja con un hombre— y muchas de ellas prostituyéndose sólo para ganar el suficiente dinero para operarse.

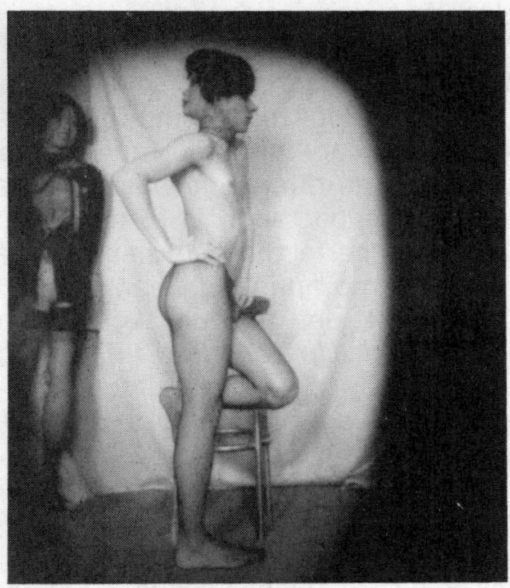

Makos, *Retrato de Andy Warhol,* 1981.

Pierre Molinier, *Luciano Castelli.*

Otros creadores se han adentrado en una búsqueda de lo andrógino o travesti: Fleck, Leight Bowery o el tan popular *performer* en los círculos del *downtown* Manhattan, Eichelberger, especializado sobre todo en roles del teatro shakespearismo[8]. Pero el travesti más conocido tanto en Europa como en Nueva York fue el *performer* berlinés Klaus Nomi, muerto en 1983 víctima del SIDA[9]. El *New York Native* le dedicó un artículo después de su muerte: "Nomi era un visionario y se consideraba a sí mismo como un hombre anterior a su tiempo. Su buen amigo Joey Arias dice que era como un extraterrestre (...) Nomi se denominaba pruebasexual[10], porque lo quería probar todo, y se situaba por encima de las distinciones que los mortales suelen hacer"[11]. Nomi auguró el principio del fin.

Muchos artistas interesados por el travestismo no tienen claras implicaciones homosexuales y de hecho los pintan integrados en su mundo cotidiano —*Travesti melancólico* de Fernando Botero o la humorística Nancy de Joe Brainard *(If Nancy was a boy).*

Makos traviste a Warhol creando nuevos personajes debajo de los cuales sigue estando Warhol. A veces lo travesti/andrógino se manifiesta sólo con un elemento —unas medias reveladoras y el rostro doble de la obra Lucio Castelli, a su vez retratado por Pierre Molinier.

[8] También se ocupa de otros papeles que exploran las mujeres de la historia (Rogoff, 1986).

[9] Llega a Nueva York, llega atraido por la fauna que se agrupa alrededor de Warhol y allí colabora con Charles Ludlan, también interesado en el transformismo, haciendo espectaculos en Max's y CBGB's.

[10] "Trysexual" en el original.

[11] Levanthan, 1988, 13 y 56. Nomi sigue una estética cercana a Klaude, un travestismo demasiado obvio para ser real, un travestismo femenino que no quiere provocar siquiera, un travestismo de vampiros.

Una de las mayores transformistas de la historia del Pop es la que desde muchos puntos de vista se puede considerar como ejemplo de heroína posfeminista, Madonna. No sólo cambia constantemente de imagen, probando que puede serlo todo, sino que vuelve la mirada hacia el mito de lo supersexual, Marylin, como muestra abiertamente el vídeo de *Material Girl*[12]. Pero existe una diferencia básica entre ambas: Marilyn es construida por la mirada del espectador y Madonna es quien construye esa mirada[13]. Su estrategia es perfectamente perversa ya que se ofrece al espectador, además televisivo, como apunta Kaplan, y nos hace soñar, igual que a los asistentes al *peep show,* que es nuestra, al menos mientras duren las monedas o el vídeo de *Open Up Your Heart.* Sin embargo, nunca ha estado ahí. Al final se viste de hombre y toma el aspecto andrógino al salir del trabajo para abandonarnos por un jovencito, más jovencito de lo que cualquier imaginación perversa pueda pensar.

¿Por qué se viste Madonna de hombre al salir del trabajo? O, mejor aún, ¿por qué se traviste Madonna de mujer? Sin duda su estrategia es la transgresión, travestida de mujer se comporta descarada "como un hombre", eligiendo sus relaciones sexuales y aireándolas, como los chicos. Madonna ha aprendido los trucos: para engañar a la mirada sólo hay que alimentarla con lo que desea y suele desear aquello que cree puede poseer —una mujer que le recuerde a lo que lo femenino *debe* ser.

Estas nuevas mujeres que se presentan como lo femenino tradicional pero que no están dispuestas a ser sometidas por la mirada utilizan estrategias parecidas a las de artistas como Kruger y Holzer, quienes conducen a la mirada dominante allí donde se siente cómoda —a un estadio de fútbol o un *peepshow*— y una vez situada en el lugar preciso plantean todo lo que no hubiera aceptado mirar sin subterfugios. Retoman el engaño, el fingimiento, la eterna artimaña de los débiles.

En todo caso, Madonna presenta una transgresión diferente. Supongamos que ella pertenece a esa tradición femenina que quiere transgredir, como lo hizo la generación de finales del siglo pasado a través de la apropiación de elementos masculinos. En este momento androginizarse no supone rebelión alguna —todas somos andróginas— y la forma de poner lo establecido en tela de juicio es travestirse de mujer ya que lo ambiguo ha pasado a ser la imagen impuesta. Madonna se opone a Grace Jones —que ya no asombraría a nadie— y a Daryil Hannah —quien en 1900 sigue manteniendo el puro. Se disfraza de mujer porque esa es ya la única forma de transgresión en una sociedad androginizada: esto tampoco es (ya) una mujer, solamente lo parece.

Madonna contrapone sobre todo las diferentes miradas: la inocente del niño y la del hombre que frecuenta el *peep-show,* la de director de cine y la nueva Monroe... Se presenta como el deseo masculino pero su música suele estar dirigida a las mujeres (*Borderline, Express Yourself...*); baila, pero es una forma de expresar la vitalidad —en sus primeros videos baila sola, sin preocuparse de la mirada que la desea.

[12] Para discusión extensa sobre este video, Kaplan, 1987, 117 ss.

[13] Se representa múltiple pero el mismo tiempo siempre es ella, como se comentaba en el artículo de Holden: Madonna se recrea —otra vez (Holden, 1989).

Hannah, 1991.

La estrategia de los videos de Madonna es típica entre los travestis cuando se disfrazan, es el "voguing" —parodia de la sociedad blanca heterosexual—, y en *Justify my love* retoma todo tipo de prácticas sexuales no admitidas como normales —sadomasoquistas, homosexuales, satanismo... Al final tampoco se sabe quién seduce a quién mientras ella sale por el pasillo riéndose —¿acaso de la mirada del espectador o de todos los amantes abandonados? Pero Jeannie Livingston se pregunta algo muy pertinente al observar cómo los medios retoman ciertos iconos tradicionalmente vetados: ¿cuando Madonna gana un millón de dólares con el "voguing", sigue siendo "voguing"?

Tratando de ver las cosas desde el ángulo más positivo se podría decir que Madonna expresa masivamente aquello que la subcultura no puede expresar porque la mirada dominante desconfía de ella. Al llevar a la pantalla televisiva el sado-masoquismo, el amor interracial —algo que también potencia *Like a Prayer* —o el amor homosexual, Madonna está planteando otras clases, otras razas, otros hábitos sexuales. Pero, ¿sigue siendo una transgresión desde el momento en que aparece en la pantalla casera? ¿O por el contrario se banaliza y se institucionaliza perdiendo su valor de acercamiento alternativo? ¿No pasa a ser el nuevo estereotipo que sustituye el antiguo?

La pregunta última es si Madonna populariza esos fenómenos o si los usa porque ya están popularizados. De hecho, la crisis del SIDA ha replanteado la sexualidad en su conjunto y en ciertos círculos a la moda se ha popularizado "la azotaina" —una inocente práctica sadomasoquista que no implica riesgo. Al mismo tiempo el sexo interracial se relanza a través de la moda hispana: la sexualidad del Caribe se ha establecido como estereotipo de lo *sexy* porque en el fichero de la voz en *off* representa la sensualidad[14].

[14] En un artículo del *Village Voice* se hablaba del sexo latino explicando por qué el *latin lover* ha florecido en la época del SIDA: "históricamente el *latin lover* ha ofrecido a hombres y mujeres

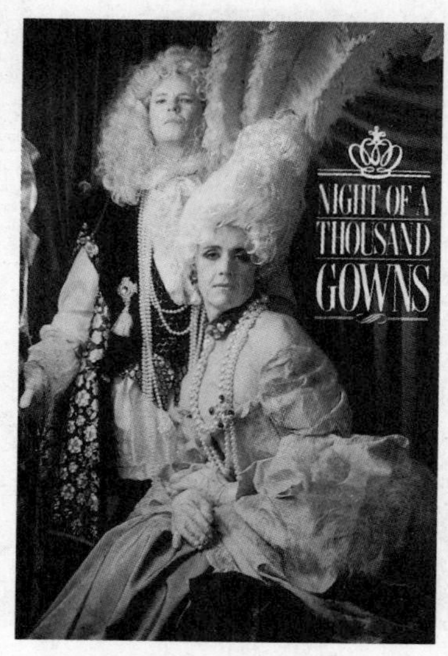

Invitación para la fiesta anual
en el Waldorf de Nueva York
de 1989.

En 1978-79 Caryl Churchill escribía para el Joint Stock Theatre Grup la obra *Cloud Nine.* Esta se divide en dos partes, la primera de las cuales se desarrolla en el Africa victoriana. En ella participan Clive; su mujer Betty, que interpreta un hombre; el sirviente negro Joshua, que interpreta un blanco; el hijo Edward, que hace una mujer, y la hija Victoria, un maniquí. La autora explica cómo Clive, el hombre blanco, quiere imponer sus ideas al resto, por eso es interpretado por un hombre. El papel de mujer de Clive lo hace un hombre porque Betty "quiere ser lo que los hombres quieren que sea, y, del mismo modo, Joshua, el criado negro, es interpretado por un blanco porque quiere ser lo que los blancos quieren que sea. Betty no se valora como mujer y Joshua no se valora como negro. Edward, el hijo de Clive, es interpretado por una mujer por motivos diferentes —en parte para seguir la tradición escénica en la que los jóvenes son interpretados por mujeres y en parte para poner en evidencia la forma en que Clive intenta imponer en él la conducta tradicionalmente masculina"[15].

En el segundo acto, lejos ya de las restricciones de la época victoriana —nada permisiva con las transgresiones de clase, raza o sexo— nos encontramos con los mismos personajes en la Londres contemporánea, interpretados por personas de su sexo, con la excepción de una niña de 5 años cuyo papel lo hace un hombre. Todo ha vuelto a su cauce normal pero cada uno de los

la posibilidad de un sexo seguro" porque, supuestamente, dedican mucho tiempo a los prolegómenos —vestirse, filtrear, beber. "Cuando un *latin lover* llega a la sagrada cama, no importa que se conozcan poco uno a otro, su unión con los cuerpos y las mentes de sus amantes es completa y sin límites (Tuber, 1988, 27).

[15] Churchill, 1985, 245.

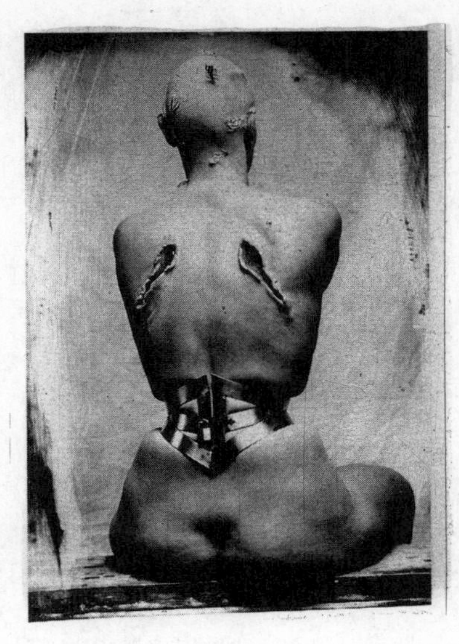

Joel-Peter Witkin, *Mujer que antes fue pájaro,* 1990.

personajes interpreta exactamente el papel opuesto al que les corresponde según las costumbres —lo positivo es que el acto está dominado por *gays* y mujeres— y sus roles, supuestamente normales— las mujeres son mujeres, los negros son negros, etc...—, son, en el fondo, igualmente patéticos o, mejor dicho, han vuelto al punto de partida del primer acto.

¿Todo se institucionaliza por el mero hecho de ser lanzado por los medios? ¿Estamos atrapados en roles que no nos corresponden o cada nuevo rol será igual de absurdo, igual de artificial y al final nuestros deseos, nuestra conducta nos devolverán a lo que éramos antes de "ser normales"? O cómo dice Barthes, en su introducción a la vida del travesti Alejandrina B. *¿verdaderamente* tenemos necesidad de un sexo *verdadero?*

La última posibilidad andrógina fue el ángel que Peter Witkins retrataba en 1990, *Una mujer que hace tiempo fue pájaro,* a la que se ha sometido a una cirugía ética para arrancarle las alas. Aprovechando que su marido dejó olvidado el cinturón de castidad y no regresó a tiempo para el fin de siglo, ha decidido buscar trabajo en un club sadomasoquista porque hoy en día el único sexo seguro es el *S. M.*

Bibliografía

Ackoyrd, P.: *Dressing-up: Transvestism and Drag: the History of an Obsession,* Londres, 1979.

Adler, G.: *Saint-Simon und der Saint-Simonimus,* Berlín, 1903.

Alberoni, F.: *El erotismo,* Barcelona, 1986.

Allen, V. M.: *The Femme Fatale,* Nueva York, 1983.

Anderson, L.: "From Americans on the Move", *October,* primavera, 1979.

Androgyn. Sehnsucht nach Vollkommenheit, Berlín, 1986.

Androgyny in Art, Hempstead (Nueva York), 1982.

Antich, J.: *Andrógino. Poema,* Barcelona, 1904.

Apple, J.: "Altered Egos. The Many Lives of Performance Artist Eleanor Antin", *L. A. Weekly,* febrero-marzo, 1988.

"Are you Psychologically Fit to Wear a Miniskirt?", *The Village Voice,* 29 de septiembre, 1987.

Ariès, P.: "Reflexiones en torno a la historia de la homosexualidad", *Sexualidades occidentales,* Barcelona, 1987.

Atkins, R.: "Photograping AIDS. A Difficult Subject", *The Village Voice,* 28 de junio, 1988.

Balandier, G.: *Modernidad y poder,* Barcelona, 1988.

Ballanche, P.-S.: *Oevres,* París, 1830.

Banner, L. W.: *American Beauty,* Nueva York, 1983.

Bataille, G.: "The Psychological Structure of Fascism", *Visions of Excess. Selected Writings, 1927-1939,* Minneapolis, 1985.

Battersby, C.: *Gender and Genius,* Londres, 1989.

Baudrillard, J.: *Simulations,* Nueva York, 1983.

Beguin, A.: "L'Androgyne", *Minotaure,* núm. 11, 1938.

Bell-Mettereau, R.: *Hollywood Androgyny,* Nueva York, 1985.

Benayoun, R.: *Erotisme du Surreálisme,* París, 1965.

Berta, M.: *De l'androgyne dans le Rougon-Macquart et deux autres estudes sur Zola,* Nueva York, 1985.

Bland, L., y Mort, F.: "Look out for the 'Good Time Girl'": Dangerous Sexualities as Threat to National Health, *Formations of Nations and People,* Londres y Boston, 1984.

Bolin, A.: *In Search of Eve. Transexual Rites of Passage,* South Hadley (Mass.), 1988.

Bougle, C.: "Le feminisme Saint-Simonian", *Reveu de París,* París, 1918, Año 25, Tomo 5.

Brannon, R.: "Dimensions of the Male Sex Role in America", *Beyond Sex Roles,* Nueva York, 1985.

Brierley, H.: *Transvestism: A Handbook with Case Studies,* Oxford-Nueva York, 1979.

Buruma, I.: *Behind the Mask,* Nueva York, 1984.
Busst, A. J. L.: "The Image of the Androgyne in the Nineteenth Century", *Romantic Mythologies,* Nueva York, 1967.
Butler, P.: *Self Assertion for Women: a Guide to Becoming Androgynous,* San Francisco, 1976.
Callen, A.: *Women Artist of the Arts and Crafts Movement, 1880-1914,* Nueva York, 1979.
Calnek, A.: *The Hasty Pudding Theather. A History of Harvard's Hairy-Chested Heroines,* Nueva York, Milán, 1986.
Campell, J.: *The Hero of the Thousand Faces,* Nueva York, 1956.
Canetti, E.: *Masa y poder,* Madrid, 1981.
Carlisle, A.: *Liquid Sky,* Nueva York, 1987.
Caws, M. A.: "Ladies Shot and Painted: Female Embodiment in Surrealist Art", *The Female Body in Western Culture,* Cambridge (Mass.), 1985.
Chadwick, W.: *Women Artists and the Surrealist Movement,* Boston, 1985.
Chapkis, W.: *Beauty Secrets: Women and the Politics of Appearance,* Boston, 1986.
"Christian Sebastian. La antimodelo que alborota las pasarelas", *El País,* 15 de octubre, 1990.
Chruchill, C.: *Plays: One,* Londres, 1987.
Cindy Sherman, Whitney Museum of American Art, Nueva York, 1987.
Cocteau, J. y Ray, M.: *Barbette,* Boon, 1988.
Composites. Computer Generated Portraits, Nueva York, 1986.
Cooper, E.: *The Sexual Perspective. Homosexuality and Art in the 100 years in the West,* Nueva York, 1986.
——: *Fully Exposed. The Male Nude in Photography,* Londres, 1990.
Coward, R.: *Female Desires. How they Are Sought, Bought and Packaged,* Nueva York, 1985.
Crimp, D.: "Pictures", *Art after Modernism: Rethinking Representation,* Nueva York, 1988.
D'Emilio, J. y Freedman, E. B.: *Intimate Matters. A History of Sexuality in America,* Nueva York, 1988.
Dancyger, I.: *A. World of Women,* Dublin, 1978.
Delcourt, M.: *Hermaphrodite. Myths and Rites of the Bisexual Figure in Classical Antiquity,* Londres, 1961.
Demos, J. y V.: "Adolescence in Historical Perspective", *The American Family in Social-Historical Perspective,* Nueva York, 1973.
Dewhurst, C. y Gordon, R.: *The Intersexual Disorders,* Londres, 1969.
Diego, E. de: "Cien años de revistas de moda en Madrid", *Villa de Madrid,* 82, 1984.
Diego, E. de: "Profesión: Coqueta", *Villa de Madrid,* 92, 1987.
——: "Las amigas. Ausencia/presencia en la iconografía femenina, *La Balsa de la Medusa,* 13, 1990.
Dijkstra, B.: *Idols of Perversity. Fantasies of Femenine Evil in Fin-de-Siecle Culture,* Nueva York, 1986.
Doce artistas en el Museo del Prado (Presentación F. Calvo Serraller), Madrid, 1990.
Duren-Smith, J. y Simone, D. de: *Sex and the Brain,* Nueva York, 1983.
Dyer, D.: "Seen to Be Believed: Some Problems in the Representation of Gay people as Typical", *Studies in Visual Communication,* Primavera, 1983.
Earl Lind: *Autobiography of an Androgyne,* Nueva York, 1975.
Ehrenreich, B.: *The Hearts of Men. American Dreams and the Flight from Commitment,* Nueva York, 1983.
Eliade, M.: *Mefistófeles y el andrógino,* Barcelona, 1984.
——: *Myths, Dreams and Mysteries,* Londres, 1960.
Ellis, H.: *Sexual Inversion,* Filadelfia, 1927.
Eluard, P.: *Un leçon de morale,* París, 1953.

Elwes, C.: "Floating feminity: Make-up, Doubles and Disguises", *Women's Images of Men,* Nueva York, 1985.
Events. En Foco. Heresies Collective, The New Museum of Contemporary Art, Nueva York, 1983.
Fabre d'Olivet, *De l'état social de l'homme,* París, 1822.
Feminity, Masculiny and Androgyny: a Modern Philosophical Discussion, Totowa (New Jersey), 1982.
Field, A.: *Djuna. The Formidable Miss Barnes,* Austen, 1985.
Flint, R. C.: *"Fin de siècle",* Indiana University, 1980.
Foderaro, L. W.: "No Liquor but Still Exotic: A Nightlife for the Young", *The New York Times,* 28 de abril, 1988.
Freud, S.: "Un recuerdo infantil de Leonardo de Vinci", *Psicoanálisis y arte,* Madrid, 1973.
Friedrichsmeyer, S.: *The Androgyne in Early German Romanticism,* Berna, Nueva York, 1983.
García Serrano, J.: *Historia de los eunucos,* Madrid, 1875.
Gaunt, W.: *The Pre-Raphaelite Dream,* Londres, 1943.
Geist, S.: "Brancusi: the Centrality of the Gate", *Art Forum,* Octubre, 1973.
Gerzon, M.: "The Postfeminist Hero", *Beyond Sex Roles,* St. Paul-Nueva York, 1985.
Gilbert, S.: "Costumes of the Mind: Trasvestism as Metaphor in Modern Literature", *Critical Inquiry,* Invierno, 1980.
Gilbert, S. y Gubar, S.: *No Man's Land. The Place of the Woman Writer in the Twentieth Century,* Vol. 2 *Sexchanges,* New Haven-Londres, 1989.
González García, A.: "Beber petróleo para escupir fuego", *Picasso. Suite Vollard,* Madrid, 1991.
Gosselin, C.: *Sexual Variations: Fetichism, sado-Masochism and Travestism,* Londres, 1980.
Greer, G.: *The Obstacle Race,* Londres, 1981.
Grover, J. Z.: "Dykes in Context: Some Problems in Minority Representation", *The Contest of Meaning,* Cambridge (Mass.), 1989.
Harris, A. S. y Nochlin, L.: *Women Artists 1550-1950,* Nueva York, 1978.
Haskell, M.: *From Reverence to Rape. The Treatment of Women in the Movies,* Chicago, 1987.
Hebdige, D.: *Subculture. The Meaning of Style,* Londres, 1988.
Heilbrun, A. B.: *Human Sex-Role Behaviour,* Nueva York, 1981.
Heilbrun, C. G.: *Toward a Recognition of Androgyny,* Nueva York, 1973.
Heller, P.: "A Quarrel over Bisexuality", *The Turn of the Century German Literature and Art, 1890-1915,* The McMaster Colloquium on German Literature, Bonn, 1978.
Hillier, B.: *The World of Art Déco,* Nueva York, 1971.
Hinterhäuser, H.: *Fin de siglo. Figuras y mitos,* Madrid, 1980.
Hinz, B.: *Art in the Third Reich,* Nueva York, 1979.
Hochswender, W.: "In Fashion World, the Trend Is Away from Drugs", *The New York Times,* 16 de mayo, 1988.
Holden, S.: "Goodbye, Earth Angel, So Long, Earth Mother", *The New York Times,* 4 de septiembre, 1988.
——: "Madonna Re-Creates Herself-Again", *The New York Times,* 19 de marzo, 1989.
Jarque, F.: "Michel Jackson, chico-chica, bueno-malo, blanco-negro", *El País,* 6 de septiembre, 1987.
Jeffreys, S.: *The Spinster and her Enemies,* Londres, 1985.
Jensen, O.: *The Revolt of American Women,* Nueva York, 1952.
Jezer, M.: *The Dark Ages. Life in the United States 1945-1960,* Boston, 1982.
Josefowitz, N.: "Women and Power: a New Model", *Beyond Sex Roles,* Nueva York, 1985.

Jullian, P.: *Dreamers of Decadence. Symbolist Painters of the 1890s,* Nueva York, 1971.
Jung, C. G.: *Psychology and Alchemy,* Princeton (Nueva Jersey), 1968.
Jussim, E.: *Slave to Beauty. The Eccentric Life and Controversial Career of F. Holland Day. Photographer, Publischer, Aesthete,* Boston, 1981.
Kaplan, A. G.: *Psycology and Sex Roles: an Androgynous Perspective,* Boston, 1980.
Kaplan, E. A.: *Rocking Around the Clock. Music television, Postmodernism and Consumer Culture,* Nueva York, 1987.
Kay, B.: *The Other Women,* Londres, 1976.
Key, W. B.: *Media Sexploitation,* Nueva York, 1976.
——: *Subliminal Seduction,* Nueva York, 1972.
Kimmelman, M.: "They Can Curse and they Can Cook", *The New York Times,* 1 de mayo, 1988.
——: "Bitter Harvest: AIDS and the Arts", *The New York Times,* 19 de marzo, 1989.
Kingsbury, M.: "The femme fatale and her sisters", *Art Journal,* Invierno 1971-72.
Knott, R.: *"The Myth of the Androgyne", Art Forum,* Noviembre, 1975.
Kolbowsky, S.: "(Di)vested Interests: the Calvin Klein Ads", *ZG,* primavera 1984.
La donna nelle scienze dell'uomo, Milán, 1986.
La mujer en la publicidad, Instituto de la Mujer, Madrid, 1990.
Lasch, C.: *Culture of narcissim American Life in an Age of Diminishing Expectations,* Nueva York, 1979.
Laurent, E.: *Les Bisexués,* París, 1984.
Legrand, F. C.: *Symbolism in Belgium,* Bruselas, 1972.
——: "El ideal andrógino de la época de los simbolistas", *Simbolismo en Europa. Nestor en las Espérides,* Centro Atlántico de Arte Moderno, Las Palmas, 1989.
Levanthan, S.: "Klaus Nomi Dies", *New York Native,* 29 de agosto, 1988.
Lippard, L.: *Mixed Blessings. New Art in Multicultural America,* Nueva York, 1990.
Livingstone, J.: "The Fairer Sex", *Aperture,* otoño, 1990.
Loveman, S.: *The Hermaphrodite. Poem,* Athol (Mass.), 1926.
Lurie, A.: *The Language of Clothes,* Nueva York, 1983.
MacDonald Allen, D. G.: *The Janus Sex: the Androgynous Challange,* Nueva York, 1975.
Maio, M. di: *Pierre Louys e i miti decandenti,* Roma, 1979.
Mansnerus, L.: "Smoking Becames 'Deviant Behavior'", *The New York Times,* 24 de abril, 1988.
Marchand, R.: *Advertising the American Dream. Making Way for Modernity 1920-40,* Berkeley, 1985.
Marsh, J.: *Pre-Raphaelite Women. Images of Feminity in Pre-Raphaelite Art,* Londres, 1987.
Martín de Lucenay, A.: *El erotismo y la guerra,* Madrid, 1934.
Masson, J. M.: *The Dark Science,* Nueva York, 1986.
Milner, J.: *Symbolists and Decandents,* Londres, 1971.
Monnetron, F.: "Esthétisme at androgryne: les fondements esthétiques de l'androgyne décadent", *L'Androgyne,* París, 1986.
Moore, S.: "Getting a Bit of the Other - the Pimps of Postmodernism", *Male Order. Unwrapping Masculinity,* Londres, 1988.
Musto, M.: "New Yuck, New Yuck", *The Village Voice,* 26 de abril, 1988.
Nochlin, L.: "Why Have There Been No Great Women Artists", *Women, Art, and Power and Other Essays,* Nueva York, 1988.
O'Flaherty, W. D.: *Women, Androgynes and Other Mythical Beasts,* Chicago, 1980.
Olander, W.: "Ferdinand Khnopff's Art of the Caresses: the Artist as Androgyne", *Marsyas,* XVIII, 1975-76.
Orth, M.: "Looking Good at Any Cost", *New York Woman,* junio-julio, 1988.

Pacteau, F.: "The Impossible Referent: Representation of the Androgyne", *Formations of Fantasy,* Londres, 1986.
Pareles, J.: "Prince's New Show Combines Sex and Piety, Mist and Motion", *The New York Times,* 16 de septiembre, 1988.
Parker, R. y Pollock, G.: *Old Mistresses,* Londres, 1981.
——: (Ed.), *Framing Feminism,* Londres, 1987.
Pater, W.: "Leonardo da Vinci", *The Renaissance,* Londres, 1971.
Penrose, R.: *Man Ray,* Londres, 1989.
Pentland, Lady: *Memoirs of Lord Pentland,* Londres, 1928.
"Phanthoms of the Philarmonic", *The New York Times,* 5 de mayo, 1988.
Pollack, M.: "La homosexualidad masculina o: ¿la felicidad del ghetto?", *Sexualidades occidentales,* Barcelona, 1987.
Praz, M.: *La carne, la morte e il diavolo nella letteratura romantica,* Florencia, 1984.
Przbyszewsky, S.: *L'androgine,* Lanciano, 1926.
Raynor, V.: "'Self as Subject' Examined in Several Mediums in Katonah", *The New York Times,* 7 de febrero, 1988.
Reade, C.: "Androgynism or Woman Playing at Man", *The English Review,* Agosto, 1911.
Reed, R.: "The New Power of Japanese Style", *Metropolitan Home,* marzo 1984.
Richardson, N.: "The Mirrors of Christer Strömholm", *Aperture,* otoño 1990.
Robert Colescott. A retrospective, The New Museum of Contemporary Art, Nueva York, febrero-abril, 1989.
Robert Mapplethorpe, The Whitney Museum, Nueva York, 1988.
Rogoff, G.: "All dressed Up", *The Village Voice,* 5 de agosto, 1986.
Rosenberg, H.: "Masculinity: Real and Put On", *Vogue,* vol. 150, noviembre 1967.
——: "The American Woman's Dilemma: Love, Self-love, No Love", *Vogue,* vol. 149, mayo 1967.
Ross, E. y Rapp, R.: "Sex and Society: a Research Note from Social History and Anthropology", *Comparative Studies in Society and History* XXIII (1981).
Roszak, T.: *The Making of Culture. Reflections on the Technocratic Society and its Youthful Opposition,* Garden City, Nueva York, 1968.
Russell, B.: "Wilhelm von Pluschow and Wilhelm von Gloeden: Two Photo Essays", *Studies of Visual Communication,* Primavera, 1983.
Ryan, M.: *Womanhood in America. From Colonial Times to the Present,* Nueva York, 1975R.
Sainte-Beure, *Portraits Contemporaneis II. Ballanche,* París, 1882.
Samaras. The Phographs of Lucas Samaras, Nueva York, 1987.
Sargent, A.: *The Androgynous Manager,* Nueva York, 1981.
Saslow, J. M.: *Ganymede in the Renaissaance. Homosexuality in Art and Society,* New Haven, 1986.
Scanlon, G.: *La polémica feminista en la España contemporánea (1868-1974),* Madrid, 1976.
Sergent, B.: *Homosexualy in Greek Myth,* Boston, 1984.
Simbolismo en Europa. Néstor en las Hespérides, Centro Atlántico de Arte Moderno, Las Palmas, 1990.
Singer, J. K.: *Androgyny: toward a New Theory of Sexuality,* Garden City (Nueva Jersey), 1976.
Smart, C.: "Law and The Controlling of Women's Sexuality", *Controlling Women,* Croon Helm, 1981.
Smith-Rosenberg, C.: *Disorderly Conduct,* Nueva York, 1985.
Stevens, J.: "The Counterculture", *Witness,* vol. II, verano/otoño, 1988.
Stoller, R.: *Presentations of Gender,* Yale y Londres, 1985.
Swedenborg, E.: *Conjugial Love,* Nueva York, 1928.
Taormina. Wilhelm von Gloeden, Pasadena (California) 1986.

Tavagliani, A.: "Il fondo oscuro dell'anima femminile", *La donna nelle scienze dell'uomo.*
Teodori, M. A. *Vita da travestito,* Milán, 1979.
"Thinking about the 60s", *The Village Voice,* 8 de marzo, 1988.
Thomson, C. J. S.: *The Mysteries of Sexes: Women who Posed as Men and Men who Posed as Impersonated Women,* Nueva York, 1974.
Trebilcot, J.: "Two Forms of Androgyny", *Feminity, Masculinity and Androgyny: a Modern Phylosophical Discussion,* Totowa (Nueva Jersey), 1982.
Tubert, "The Coming (Of Age) of Latino Lover", *The Village Voice,* 9 de agosto, 1988.
Veeder, W. R.: *Mary Shelley and Frankenstein. The Fate of Androgyny,* Chicago, 1986.
Warren, C.: "Is Androgyny the Anwers to Sexual Stereotyping?", *Feminiy, Masculinity and Androgyny: a Modern Phylosophical Discussion,* Totowa (Nueva Jersey), 1982.
Wegman's World, Walker Art Center, diciembre-enero, 1983.
Withers, J.: "Eleanor Antin: Allegory of the Soul", *Feminist Studies,* Primavera, 1986.
Wilson, E.: *Adorned in Dreams. Fashion and Modernity,* Berkeley y Los Angeles, 1987.
Winship, J.: "Nation before Family: Woman, The National Home Weekly, 1945-53", *Formations of Nations and People,* Londres, 1984.
Woodward, R.: "Documenting the Outbreak of Self-Presentation", *The New York Times,* 22 de enero, 1989.
Zolla, E.: *The Androgyne. Reconciliation of Male and Female,* Nueva York, 1981.

Índice de Ilustraciones

Índice de nombres